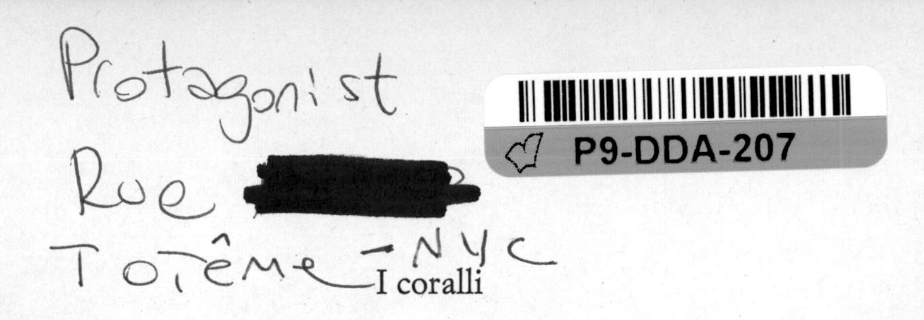

I coralli

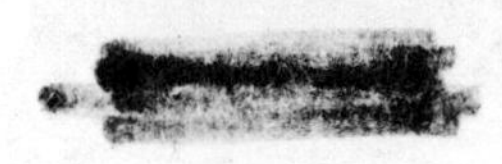

www.einaudi.it

ISBN 978-88-06-22392-2

Paola Mastrocola

L'esercito delle cose inutili

Einaudi

Nota.

I versi citati a p. 80 sono tratti dalla canzone *I Watussi* (Rossi/Vianello) © 1963 Edizioni Leonardi S.r.l., Milano.

La citazione a p. 204 è tratta da *I tre moschettieri*, trad. it. di Marisa Zini, Einaudi, Torino 2007, pp. 6-7.

L'esercito delle cose inutili

A Marco Tomidei,
che un giorno mi portò a Variponti.

Capitolo 1

in cui Raimond decide di raccontarvi tutto e vi parla di una certa lettera, che chiama la «lettera terribile», non si capisce perché

Bene, adesso io vi racconto quel che mi è successo perché non è possibile che una storia cosí capiti a uno, e gli altri lí beati che non ne sanno niente. Non è giusto. È una cosa troppo grossa.

Di sicuro ha dentro anche un significato pazzesco. Che però io non vedo. Non lo vedo ancora, questo benedetto significato pazzesco.

Io vi racconto com'è andata perché voi cosí mi dite come diavolo muovermi. Perché non vorrei sbagliare, non vorrei proprio per niente sbagliare. Sento che la vita si è rimessa in moto, che mi vuol dare ancora un'occasione, e per tutte le salamandre della terra non vorrei buttarla a mare, questa occasione.

Sul perché le cose accadono o non accadono, lo so, siamo divisi in due. Metà pensa che non ci sia mai nessun perché e che le cose nella vita accadono perché han voglia di accadere. Metà invece pensa che c'è sempre una ragione, e la prova è che se non fosse cosí ne accadrebbero altre, di cose, e non proprio quelle che accadono. Io che ne so? Non mi ci metto neanche a dire chi ha torto o chi ha ragione. Ma mi stanno piú simpatici i secondi, se no la vita mi sembra tutto un niente, qualcosa che se non c'è fa uguale.

Ad esempio, sull'isola, la mia amica Marci pensa che un perché c'è sempre, e bisogna trovarlo. Lei ne trova tantissimi, almeno uno al giorno. Dice che è bellissimo, è come aprire scatole. Ma questo è quello che pensa Marci, e siccome ha già un piede nella fossa, nessuno la sta a sentire.

Invece il vecchio Vincent, che non è vecchio per niente, avrà la metà degli anni di Marci ma lo chiamiamo cosí per tutte quelle arie che si dà da vecchio saggio, dice che sono tutte balle. A me piace molto il pensiero razionale di Vincent. Vorrei essere uno che ha il pensiero razionale. Ma mi piaceva molto anche Marci quand'era giovane, diciamo che avrei potuto provarci a un certo punto, se non mi fossi distratto. Quindi, sarà per questo o no, io preferisco come la pensa Marci.

A proposito, io mi distraggo parecchio, nella vita. Sono uno cosí.

E fin qui era solo per dirvi un po' come la penso.

Invece quel che vi voglio raccontare è questa cosa delle lettere che ho ricevuto.

Io è da un po' che ricevo lettere. Ma le lasciavo lí, perché cos'altro dovevo farne? Le mettevo da parte, belle ordinate una sull'altra e manco le guardavo. Perché uno come me, cosa volete che se ne faccia delle lettere che riceve? Già è incredibile che riceva lettere, uno come me.

E invece poi di colpo, ieri, ne leggo una. L'ultima che mi arriva. La leggo. Me la consegnano come le altre, precisa uguale, e la metto sopra il mucchio. Ma piú tardi la leggo. La apro e la leggo, ci pensate? Da lí me le leggo tutte quante a razzo, trenta o quaranta o che ne so. Tutte stanotte. Al contrario. Cioè le leggo andando indietro come i gamberi perché l'ultima era quella che mi veniva per prima. Ci passo la notte intera a leggerle, e anche un pezzo del mattino, sono un bel mucchio, non avete idea.

Tutto perché questa benedetta lettera che mi è arrivata ieri non era proprio per niente come le altre. Era terribile! Per questo dentro di me la chiamo cosí, la lettera terribile.

Mi è arrivata ieri mattina, questa lettera terribile.

Io l'ho lasciata lí, sul mucchio. Come le altre. Anche se lei non era come le altre, ve l'ho detto, era terribile.

Poi ieri sera torno a casa, aspetto che passino gli inservienti, e quando se ne vanno mi metto fuori. C'era la luna. Io sono uno che guarda la luna. E poi quando rientro, prima di dormire la leggo. Ma cosí, tanto per. Perché uno prima di dormire può anche leggersi una lettera, se gli va.

Però adesso che l'ho letta non so proprio cosa fare, ed è per questo che voi dovete starmi a sentire. Cioè, sarebbe meglio. Perché una decisione la devo prendere, e non mi andrebbe di sbagliarla.

Non mi andrebbe proprio per niente di sbagliarla.

Capitolo 2

in cui Raimond comincia a dirvi che girovaga e che andando per una strada deserta incontra un tale alto un litro di latte; e che gli piace molto sedersi sul ciglio delle strade

Allora, mettiamo le cose in chiaro. Perché, se non sapete niente di me, come fate a dirmi cosa fare?

Io sono qui da un certo tempo. Qui vuol dire in questo posto che non ho ancora capito bene che posto sia e ve lo dico dopo come si chiama, che mi fa ridere solo a pensarci. Cioè, un po' ridere e un po' piangere.

Da un certo tempo quanto? Be', non ne ho la piú pallida idea. (Non so come possa succedere che un'idea sia *pallida*, ma se si dice vuol dire che può succedere). Facciamo che sono sei mesi, e non ne parliamo piú.

Allora, io sono qui da sei mesi. Tanto son fatto cosí, non tengo mai il conto dei giorni. C'è chi lo fa, lo so. Voi per esempio usate i calendari, le agende. Io invece mi adagio sul fluire dei giorni, detto un po' poeticamente. Cioè, guardo che viene buio e poi torna la luce e poi è di nuovo buio e via cosí. È un ritmo. Ci si può far portare, se si vuole. Come da un'altalena, o un'amaca che ti culla. Vi piace? A me un sacco, soprattutto l'amaca. Ne avevo regalata una alla mia amica Sammi (io avevo proprio tante amiche sull'isola, se non l'aveste ancora capito). Poi lei ha preferito un altro, ma io l'amaca gliel'ho lasciata lo stesso perché sono un signore.

Il ritmo ti può bastare, dicevo, non è necessario il conto. Cosa li conti a fare i giorni? Tanto passano.

Secondo me comunque era quasi Natale. Direi novembre. Lo sentivo nell'aria, avete presente quell'odore misto di pigne, candele e polvere? Polvere perché la gente va di fretta e c'è un viavai bestiale prima di Natale, quindi si alza una gran polvere, non so se anche a voi vi entra nelle narici, a me sí, e certe volte mi fa persino starnutire.

Era mattino. Sí, doveva essere un mattino di novembre. Gelido. Io ero sulla strada. Una strada gigantesca asfaltata, dove sfrecciano di solito miliardi di macchine. Ma quel mattino quattro in croce ce ne saranno state, di macchine. E quella strada, be', come strada era lunghissima. Di quelle che se guardi avanti non vedi la fine, cioè guardi l'orizzonte, ma poi cammini e lui si muove, l'orizzonte, non sta mai fermo. Mai capito, lo fa apposta?

Ogni tanto incontravo un albero. Un albero storto. Con i rami tutti sbilenchi da un solo lato. E neri. Senza foglie. Come se un vento li avesse stortati. Un vento che era arrivato, aveva piegato i rami tutti da una parte sola, e poi tanti saluti.

Insomma, io andavo, e di strada davanti ne avevo le tasche piene perché io non sono un randagio.

Cioè, io *sono* un randagio. Sono proprio questo: un randagio. Ma solo perché a un certo punto lo sono diventato, sia chiaro. Io non volevo di sicuro. Io sono nato per portare pesi, nella vita. Non per fare il randagio. Io sono tutto il contrario di uno che non sa cosa fare e dove andare a sbattere le corna. (*Sbattere le corna* lo diceva sempre mia madre, per esempio a mio padre quando tornava all'ora beata: Si può sapere dove sei andato a sbattere le corna? Da piccoli ci mettevamo a ridere, io e i miei fratelli, sulle corna invisibili di papà). A me non piace niente andare senza sapere dove. A tanti piace da morire, lo so. Ci sguazzano. Si credono anche chissà chi, perché vanno, vanno... senza un dove, senza un quando. Si credono chissà chi, che solo loro conoscono la libertà. E gli altri cosa sono? Dei poveri scemi che non hanno capito niente.

A me invece piaceva avere un tetto, quattro mura, e anche una famiglia. E sapere ogni giorno gli orari, le cose che devi fare, tipo portare pesi, e non si sgarra. Quella è una vita buona, secondo me.

Comunque, io era da poco che vagabondavo, non piú di un anno. Ero un vagabondo recente, si può dire? Uno che non ci ha ancora fatto l'abitudine, e quindi non ci prova gusto per niente. E quel mattino mi facevano male le ginocchia, un male cane. Anche perché non sono piú tanto giovane, ve l'ho detto? Non che sia vecchio. È solo che non sono piú tanto giovane. E camminavo un po' a sghimbescio, perché dopo tutto quel tempo, mesi, magari anche un anno che ti alzi al mattino e non hai nient'altro da fare che macinare strada, alla fine non ne puoi piú e vai cosí: a sghimbescio. Me ne accorgevo dalla linea bianca in mezzo, che un po' mi si avvicinava e un po' mi si allontanava, diciamoci la verità: non riuscivo a tenermela dritta davanti.

Poi a un certo punto l'ho visto.

L'ho visto da lontano che camminava in direzione opposta alla mia: uno che mi veniva incontro giusto sui piedi. O cosí mi è parso, non voglio dire proprio esattamente che camminava, le gambe muoversi non gliele vedevo. Non mi ci sono messo, a guardare i dettagli. Ho solo visto uno che si avvicinava a me. Se poi ero io che mi avvicinavo e lui stava fermo, seduto, o appoggiato sul ciglio della strada, questo non lo so. So che era piccolissimo, questo sí. Minuto. Un tipo minuto e un po' squadrato. Alto a occhio e croce un litro di latte.

Insomma, quel mattino di novembre, mentre andavo a zonzo nel vuoto da non so quanto tempo per quella strada dritta e deserta, succede che io incontro questo tale. E vi posso dire che, accidenti, se prendevo a destra anziché a sinistra non lo avrei incontrato. E tutto quel che mi è successo dopo non sarebbe mai successo, e sarei ancora lí a fare il randagio con le ginocchia massacrate, e non sarei certo qui a parlare con voi perché, diciamocelo, non avrei proprio niente da dirvi e meno che mai da chiedervi. Quindi? Quindi tutto questo deve pur significare qualcosa, no?

Ho preso a sinistra ed è stato tutto quel che è stato, questa benedetta storia che adesso vi racconto. E ci sarà ben un perché, direbbe la mia amica Marci, quella dei perché.

Insomma, quando sono a pochi passi, lo distinguo meglio. Mi sembra un tipo davvero molto scompaginato. Soprattutto di profilo.

Quando sono a un metro, gli giro intorno. Vado e vengo, non mi avvicino e non mi allontano piú di tanto. Strascico il passo, alzo polvere, storco il collo. Faccio gesti cosí, per prendere tempo. Cincischio. Tergiverso.

Il sole è alto, tenue. Me lo ricordo perché non riscaldava ma c'era, e mi ricordo che mi piaceva che ci fosse, quel mezzo sole d'inverno. Faceva vivide le cose, le stagliava precise sull'orizzonte, e a me piace vedere che la luce disegna bene i contorni, mi dà sicurezza, perché cosí la nebbia non mi ammazza il mondo.

Quel tale si era fermato davanti a me. O era già fermo. Comunque lo saluto e gli dico buona giornata, perché me l'ha insegnato mia madre: La prima cosa, Raimond, saluta. Da piccolo non lo facevo per timidezza. I timidi non hanno nessuna voglia di salutare la gente che incontrano solo perché la incontrano. Una volta che saluti, cosa cambia? Sconosciuti come prima. Allora non sarebbe meglio andare al sodo, che uno saluta solo chi gli va? Ma questo ragionamento non hai voglia di farlo con tua madre, quando sei piccolo. Soprattutto se sei timido.

Mia madre si chiamava Carmina ed era molto bella. Solo un po' sovrappeso.

Vi stavo raccontando di quando ho incontrato quel tale, okay. Quante cose vi dovrei dire in mezzo, ma come faccio? Non mi basta il fiato.

Allora lui mi parla, nella fattispecie mi dice buongiorno (*nella fattispecie* è a dir poco stratosferico!) Un tipo gentile. E poi subito mi chiede dove vado, e questo invece mi dà un po' fastidio, perciò gli rispondo che non vado. E lui: Ma no, guarda che vai, perché se non andavi io non t'incontravo. Anche logico. Vado non so dove, dico. Anch'io, mi fa. E scoppia a ridere in un modo strano, con tutto quanto che gli si scompagina ancor di piú. E io penso: ah be', allora sei randagio anche tu. Ma lo penso solo.

– D'accordo, allora sediamoci, – mi fa.

E io mi dico: ma cosa c'entra? Se uno non sa dove va, allora si siede? Forse non è poi un tipo cosí logico. Comunque il suo non-ragionamento mi piace, anche per via delle ginocchia che mi fanno male.

Mi metto vicino a lui, sul ciglio della strada. Proprio nel punto di confine, dove da una parte c'è l'asfalto e dall'altra il prato: il ciglio. Dove non è né carne né pesce. Sedersi sul ciglio vuol dire: e che ne so?, per il momento sto a metà, poi si vede, non mettetemi fretta. Vuol dire tutta una cosa cosí.

Mi prendo un filo d'erba e me lo mastico. Mi dà sicurezza masticare un filo d'erba. Se a voi non piace, non fatelo. Però provate, giuratemi che provate.

Dopo che siamo stati un bel pezzo cosí, seduti sul ciglio a far niente, mi dice se andiamo a cena, che lui conosce un posticino. Mi pare uno buono per fare due chiacchiere. Allora gli chiedo come si chiama. Anche se magari non ce l'ha un nome, un tipo cosí, pensavo. E invece ce l'ha:

– Res... – mi dice.

Me lo dice con la voce che gli titubà, come se dovesse aggiungerne un pezzo. Tanto che gli chiedo di ripetermelo. E lui questa volta fa la voce ferma:

– Res. Mi chiamo Res.

A cena beviamo un sacco. Cioè, lui fa bere me. Non parla molto, dice che vuole solo ascoltare. E io comincio a raccontargli delle isole greche, della mia che è piccolissima, una specie di sputo dentro il mare. Ma vedo che non capisce. Forse non sa dov'è la Grecia. E come fa? Secondo me uno cosí non ha mai viaggiato.

Capitolo 3

in cui Raimond racconta
di quando l'hanno strappato via dall'isola
e ha visto la sua vecchiaia sotto forma di piazzale;
vi informa anche che ha due figli,
che Res vuole portarlo nel «posto adatto»,
e lui un po' è contento e un po' no

Quella sera a cena gli ho parlato di tante cose che adesso mi sembrano tutte aggrovigliate peggio di una corda. Di sicuro gli ho parlato della notte in cui sono venuti a portarmi via, questo sí, perché mi brucia. È passato del tempo ma mi brucia. La notte dello strappo, la chiamo io. È sempre lí, quello strappo, ce l'ho piantato nel cuore che non va piú via.

Un anno fa, o anche di piú. È quasi notte, non dormo ancora, quando sento il rumore di un freno a mano tirato di botto, e vedo una polvere bianca entrare nello stanzone. È sempre cosí, la strada sterrata che fa polvere. Non mi muovo. Tendo solo le orecchie. E quando vedo la sagoma grassa di Rocco sulla porta ho già capito. Tocca a me. Mi viene a prendere.

Non oppongo resistenza. Gli vado dietro. Mi fa salire su quel camion blu come la notte. Ci sono anche altri, circa una dozzina. Ci guardiamo senza parlarci, tanto lo sappiamo tutti, noi dell'isola, che a un certo punto arriva il camion blu, ti prendono e ti portano via. Finché sei utile, servi; finché servi, vai bene. Poi ciao. Lo sappiamo che va cosí, lo abbiamo visto decine di volte, ma fino a che non capita a noi non ci pensiamo, o facciamo finta. È come se una parte di noi si mettesse in un angolino di nascosto e con una vocina ci dicesse: No, a te non capiterà. E invece…

Al mattino il camion sbarca e fine, non siamo piú sull'isola. Non saremo mai piú sull'isola. E lí, di colpo, mi si spalanca il baratro.

E quando dico baratro, intendo baratro.

Tanto vale dirvelo subito: io soffro di vertigini, quindi di baratri me ne intendo. Non c'è niente da fare, chi soffre di vertigini lo sa. Tu ti puoi convincere quanto vuoi, ti dici: Guarda che c'è un parapetto, non puoi cadere. E invece niente, se guardi giú, parapetto o no, dai di matto. E la cosa pazzesca è che sei capace di patirle anche su un'altra persona, le vertigini: metti che sia il tuo amico che si spencola dalla ringhiera di un precipizio, non tu: be', quel che voglio dire è che ti viene a te, il serpentino dentro, ti attraversa come fosse un fulmine e ti schianta uguale. Allora preghi il tuo amico di togliersi di lí per favore, che tu stai male; e lui ti chiede se sei scemo, è lui che si spencola, mica tu. Ma se uno è fatto cosí, è fatto cosí. A me capita anche con i gatti. Vedo un gatto che cammina su un centimetro di ringhiera di ferro e mi viene male. Avete presente quei gatti melliflui e felpati che camminano sui bordi? (*Melliflui* mi sa che l'ho sbagliato, come aggettivo, pazienza). Ecco, vorrei prendere quel gatto molliccio e portarlo giú, urlargli se è matto o cosa. E questo solo per spiegarvi le vertigini, che non sono una cosa facile.

Il camion sbarca, fa un po' di strada, poca. Forse solo un giro sul piazzale. Poi ci fanno scendere, uno per uno. È lí che ho le vertigini, per ognuno di noi, per quelli che scendono prima di me. Sento che abbiamo tutti un baratro. Me lo vedo davanti: il baratro del futuro. O almeno, è cosí che lo chiamerei.

Perché quando mi trovo tutta questa terra davanti che si chiama continente, non so neanche da che parte cominciare. Sull'isola era diverso, sapevo sempre cosa fare e dove andare, non me lo chiedevo neanche, perché stare su un'isola è come stare dentro a un cerchio. Hai il mare davanti e dietro, ti racchiude. Invece quel mattino mi trovo un continente davanti. Mi sembra che il futuro stesso sia un continente, tutto di terra, e io che ci sprofondo dentro.

E questo è davvero molto strano, perché io sono abbastanza vecchio, diciamo. Sono a tre quarti, piú o meno. Ho solo un quartino di vita davanti, direi. Quindi avrei dovuto vedermi poca terra davanti. E invece era come se il tempo ristretto, per una bizzarra ragione tutta sua, si fosse trasformato in un posto larghissimo, una cosa che non si sa proprio come fare a percorrere. E che secondo me, poi, era la vecchiaia. Nient'altro che quello: la mia vecchiaia che io per la prima volta mi vedevo davanti. Sissignori, eccola lí davanti a me, la vecchiaia. Di colpo. C'era uno spiazzo enorme, enorme e deserto. Quel gigantesco, piatto piazzale d'asfalto completamente vuoto. Altro che *The Waste Land*, era una terra molto piú che desolata.

Tu ti trovi davanti a quella enormità di spazio cosí inutile, scendi, da solo, a piedi, al massimo sei lí che ti trascini una valigia, io neanche quella, e sei di fronte a un infinito cosí vuoto... E come lo riempi? Cosa fai?

Come vivi d'ora in poi?

Ecco, credo che si chiami vecchiaia. Una specie di piazzale dei traghetti quando sbarchi alle sei di mattino, fuori stagione.

Il cielo livido, l'acqua di quel grigioblu, il vento che ti sferza. Un rumore di ferraglie, catene, sartie, motori diesel, le solite manovre di un traghetto, quando attracca. Un odore di mare marcio, olio, carburante e non so cos'altro. Tu posi la valigia, se ce l'hai. Ti guardi intorno e non sai dove dirigere i tuoi passi. Ti viene anche un po' da vomitare, cosí a digiuno, alle sei del mattino.

E lo so che non ho scoperto proprio niente, e che magari anche voi la vecchiaia ve la immaginate cosí.

Non lo so, non ve l'ho neanche chiesto se siete vecchi o no.

Comunque quel mattino, quando sono sceso in quel piazzale desolato, ho fatto qualche passo. Ma pochi.

Quelli che erano con me sul camion si sono subito dispersi. Non ci siamo neanche salutati. Ciao, buona fortuna, va' a quel paese: andava bene lo stesso, era un saluto. No, niente. Tutti via. Spariti. Come se li avessero chiamati da certe tane nascoste.

Comunque, *The Waste Land* l'ho appena letto. Difficile, ma dà l'idea della solitudine. Se non l'avete letto, dovreste proprio farlo. Consiglio di Raimond.

Raimond sono io.

Mi chiamo Raimond, piacere.

I miei figli invece li ho chiamati Spin e Susanna. Perché ho due figli, io, sull'isola. Li ho lasciati lí, cos'altro potevo fare?

Spin sarebbe Spinnaker, per questa cosa che mi piace guardare le vele all'orizzonte.

Mi piacciono da morire gli spinnaker rossi e bianchi a strisce. Ma anche quelli tutti blu, gonfi di vento. Mi piaceva stare a guardarmeli dall'alto, sull'isola. Dico nei momenti di pausa, quando riuscivo a sgattaiolare giú per qualche mulattiera, senza che mi vedessero, se no erano botte.

Mi piaceva un figlio che sapesse di vento, come un soffio di buona sorte. E invece adesso è là, solo come un cane, che cerca suo padre e non ne sa piú niente.

I nomi sono solo nomi, un modo per chiamarci senza fare confusione. Bastasse dare un nome buono, a un figlio...

Ad ogni modo, dicevo, ho fatto qualche passo a vuoto, lí su quel piazzale, poi mi sono fermato.

Mi si apriva una strada lunga e deserta. Come quelle strade nei film americani, che vai per chilometri e chilometri e incontri solo una stazione di servizio, con un'unica pompa di benzina smilza. Lí nemmeno quella. Nemmeno la pompa di benzina, dico. Solo una strada che andava, andava. Dritta. Faceva quel che deve fare una strada.

La cosa buona era che c'era solo quella, di strada, cosí non avevo il problema di scegliere. Potevo prendere di qui o di lí, uscito dal piazzale. Cosa m'importava? Ormai ero un randagio. Uno che da qualsiasi parte vada è uguale.

Quindi, ho preso a sinistra. Come sempre, quando mi trovo davanti a un bivio.

Cosí mi è partito il solito pensiero. Che mi arrovellava. E il pensiero era: ma se prendevo a destra? Perché non sono cosí sicuro che sia proprio tutto uguale. Ma se non è tutto uguale, come si fa a scegliere giusto?

Mia madre me lo diceva sempre: Raimond, tu non sei capace neanche di scegliere quale piede mettere prima. Okay, sono uno che tentenna. Mi faccio troppe domande, ecco qual è il problema. Invece chi non se le fa sembra uno sicuro, gli puoi anche affidare la barca, se vuoi. Sempre se ce l'hai, una barca.

Quella sera dopo il dolce, Res mi chiede:

– Hai da fare?

– No, – rispondo.

Sta un po' a pensare. Si rabbuia, poi si schiarisce. Torna pensieroso, rimane muto, come assente. Alla fine si scuote e, come se avesse preso una grossa decisione che un po' gli pesa, dice:

– Ho capito, conosco un posto. Ti porto dove abito io, vedrai, è il posto adatto.

Mi dice cosí.

Okay, ho capito. Ma adatto a cosa? Vi pare che uno dice: Il posto adatto, e la chiude lí?

Mi partivano un sacco di domande a mitraglia, del tipo: ma dove diavolo abiti, e perché mi porti con te, e perché adesso non sei a casa tua, cosa ci fai in giro per questa strada deserta, e dov'è esattamente questo posto, è lontano, non è lontano... Ma me le sono tenute, tutte queste domande. Tanto lui non ne voleva sapere, di dare risposte. Qualunque cosa gli chiedessi non si smuoveva di una tacca, continuava solo a dire: Lo so io, tu non ti preoccupare, vedrai che ti troverai benissimo, tu non ti preoccupare, è il posto adatto. Sembrava una macchinetta, che tu schiacci un tasto e lei ripete.

Io ero anche contento che qualcuno mi portasse da qualche parte, sia ben chiaro. Meglio che girovagare nella nebbia senza un dove. Lo so che non ci si deve fidare degli sconosciuti. Ma quel tipo era cosí sicuro, era come un carro armato.

Non gli ho detto né sí né no. E quand'è cosí, vuol dire sí.

Il mattino abbiamo ripreso quella strada che continuava a essere tremendamente deserta, e che solo lui sapeva dove portava. Non un segnale, un cartello, una freccia. Lui andava avanti e io dietro, tutto lí.

Insomma io lo seguo, e arriviamo qui. Giuro che non si capiva che posto era. E lui lí che gongola soddisfatto e continua a bofonchiare questa cosa che è proprio il posto adatto, e anche che cosí la smetto di essere triste. Dice proprio questo, gli scappa. Dice: Cosí non sarai piú triste.

Volevo dirgli: Ma come ti permetti? Cosa ne sai di me, se sono triste o no? Mi veniva una specie di prurito, non so se avete idea. Insomma, come aveva fatto a capire come mi sentivo? Io, poi, che non faccio mai per niente l'aria triste, anzi, ci sto molto attento a non sembrare uno triste. Mi danno sui nervi, quelli tristi. Quelli che sembrano tristi. Io che rido cosí spesso, che cerco sempre di fare l'allegrone. Invece questo tale, questo Res, l'aveva capito subito come mi sentivo, e mi ha dato proprio un gran fastidio non potermi spiegare da cosa l'aveva capito.

Ma ormai, buonanotte.

Cosa fatta capo ha, diceva mia madre. E io mi chiedevo che vuol dire *capo*, se vuol dire «comandante» o «testa», e allora m'immaginavo la testa di una lucertola mozzata, per dire. E non lo so perché di una lucertola, non me lo chiedete, okay? Poteva anche essere una gazza, o una biscia. Comunque quella cosa che io e lui eravamo arrivati qui era fatta.

E come dicevo sempre a mia madre quando vedevo che aveva ragione lei, buonanotte.

Capitolo 4

in cui Raimond arriva nel posto adatto
e scopre che è il Paese delle cose inutili,
e voi a vostra volta scoprirete chi è quel tale alto un litro di latte,
vi chiederete come sia possibile
e non troverete la risposta

Adesso scusate un attimo, se mi assento. Mi devo esercitare a guardare la luna. L'ho promesso a Res. Se no, se non guardo la luna almeno un po', domani lo sento.

Anche se domani io non lo so proprio cosa farò. Dipende. Siccome adesso ho letto le lettere io non lo so piú, dipende da quel che decido di fare, o non fare. E da quel che mi direte voi, di fare o non fare.

Comunque è da un po' di tempo che esco di notte. Certe notti, sempre alla stessa ora. Mi metto la sveglia ed esco. Fa parte delle cose che ho imparato a fare qui. Imparato si fa per dire, diciamo che ho *cercato* d'imparare. Quando ci sono i giorni di luna piena, cioè le notti, esco e mi metto sul prato. Le prime volte me ne stavo in piedi, come un allocco. Poi mi sono fatto furbo e ho cominciato a portare il paglericcio fuori, cosí mi stendo e guardo meglio. (Ma lo sapete cos'è un allocco? A me piace tanto dire *come un allocco* ma non lo sapevo che è un rapace notturno. Anche piú grosso del gufo).

In genere la guardo con Garibaldi, la luna. A volte stiamo alzati tutta la notte a guardarla, finché non se ne va lei. Ma a volte no, Garibaldi a volte preferisce guardarla da solo, senza far tutta quella scena di passar la notte insieme. Ma Garibaldi è spigoluto, si sa. È il mio piú grande amico, ma è davvero molto spigoluto.

E va bene. Come vi dicevo, sono qui da sei mesi. E qui è un posto ben strano. Adesso un po' ci ho fatto l'abitudine, ma non poi cosí tanto. Mi stupisco sempre.

Mai come il giorno in cui siamo arrivati, però, che ero stupitissimo.

A un certo punto Res ha detto: Siamo arrivati. E io ho pensato: va be', se lo dice lui... E poi ha detto: Entriamo.

E anche *entrare* non era il verbo giusto. Non c'era l'ombra di un'entrata. Che ne so, un cancello, una porta nelle mura. Non che me ne intenda, ma quando entri in un paese, dovresti accorgertene, di essere entrato. Lo sanno anche i bambini o no? Invece lí niente. Arriviamo senza arrivare, e entriamo senza entrare, tutto cosí.

Mi porta su una collinetta, da cui si domina il panorama. E declama:

– Vedi, amico mio, quanta grandezza, quanta bellezza... Questo è sicuramente il posto piú bello del mondo!

E se ne parte con uno sproloquio che sembra un poema in versi. D'altronde lui è un libro, come vi aspettate mai che parli un libro? Come un libro.

Mi guardo intorno, strizzo gli occhi, giro ovunque lo sguardo, ma per quanto mi sforzi vedo solo prati. Belli, per carità, ma prati.

Prati che si stendono per miglia e miglia fino all'orizzonte. Semplici e banali prati. Tutta una distesa pratosa, un po' in discesa un po' in piano un po' in salita. Un misto. Collinette, valli, scarpate, pianure. Ruscelletti, alberi, spiazzi. Qualche staccionata. Qualche casupola bianca col tetto rosso.

– Ma che posto è? – gli chiedo.

E lui non dice niente. È lí sornione che non dice una sillaba. E io penso: tutta questa strada per arrivare in questo nulla, in questo deserto di fili d'erba sterminati?

Invece non era cosí. I luoghi ingannano, a prima vista. Come le persone, no? Non lo fanno apposta, non sono loro, siamo noi. Ci costruiamo tutto quel pastrocchio d'inganno da soli, e poi c'inalberiamo anche, protestiamo, accusiamo gli altri. Gli altri cosa c'entrano? Un fico. Siamo noi che certe volte vediamo il deserto intorno. Ma il deserto non è mai deserto. Insomma, quello mi sembrava un posto vuoto e brullo. In realtà, adesso ve lo posso dire, adesso che ci vivo da sei mesi: è una specie di mondo affollatissimo che ovunque guardi vedi che ci abitano decine e centinaia di persone, e di cose, e di animali...

Una roba da non credere, quanto è pieno zeppo questo posto.

Va be'. Ce ne stiamo un po' a guardare, poi scendiamo da quella piccola collina e ci ritroviamo in un villaggio pieno di asini.

Asini!

Centinaia e centinaia. Fermi a pascolare, oppure a passeggio, da soli, in coppia, a gruppetti per i prati.

Andiamo ancora avanti e Res mi porta in un posto chiuso, che invece è pieno di libri. Libri dappertutto, come lui. Solo libri. Centinaia, migliaia di libri. Valanghe, montagne di libri. Buttati all'aria, accatastati, ammucchiati per terra. Oppure dentro certi stanzoni enormi e semivuoti, ben disposti in scaffali alti fino al cielo, che sembrano otto piani se va bene. Da fuori si vedono delle guglie che sfiorano le nuvole, e dentro c'è un buio, un fresco. Come una cattedrale gotica. Libri pieni di polvere e muffa, in una cattedrale. Accidenti. Un odore di marcio, avete presente quando la carta prende l'umidità? Quell'inconfondibile odore di funghi e stagno mescolato insieme?

– Lo vedi che meraviglia, che imponenza? – mi dice Res.

A me sembra un deposito di carta straccia. Carta che non è neanche buona per fare il fuoco, umida com'è. Ma non glielo dico. Come potrei? Come si fa a dire a un libro che i libri sono carta straccia? Ovvio che la prenderebbe male.

Res si aggira tutto tronfio in quella specie di magazzino ammuffito. Mi dice che è la Biblioteca, con un tono, ma con un tono... Mi fa una specie di presentazione in pompa magna, dice che ci troviamo nel Tempio del Sapere, e un sacco di altre frasi molto esaltate. Dice anche che quella è la sua casa, che lui abita lí. In effetti, essendo un libro, mi torna.

Camminiamo tra quei cumuli di carta, e a ogni cumulo Res mi spiega di che cumulo si tratta. – Perché i libri non sono tutti uguali, – mi fa. Ci sono romanzi, poesie, enciclopedie, dizionari di latino e di greco, racconti, saggi di critica letteraria, di sociologia, filosofia teoretica, psicologia, politica, dialettologia, biogenetica, fisica quantistica, volumi d'arte, vite illustri, manuali di chimica, zoologia, termodinamica, storia antica, manoscritti del Seicento, poemi epici, racconti russi dell'Ottocento, cronache medievali, raccolte di haiku, distici elegiaci, temi svolti per la scuola media. E anche manuali di giardinaggio, equitazione, tiro alla fune, fotografia, découpage...

Allora glielo chiedo di nuovo che posto è, se è il paese degli asini o il paese dei libri, quello. E lui scoppia a ridere e dice:

– Ma no, è Variponti, il Paese delle cose inutili!

Accidenti ai gechi. *Paese delle cose inutili!* Inutili, capito? Provate solo a pensare come mi sentivo io. Immaginate se lo dicessero a voi, che vi portano in un paese che si chiama a quel modo, e che è proprio il posto adatto a voi, come ci rimarreste. Di sale. Ci rimarreste minimo di sale. Cioè, diciamocelo: a saperlo, quella sera, col fischio che l'avrei seguito.

Comunque, fortuna che non mi sono offeso.

Tanto ormai c'ero, inutile agitarsi. Mi sono seduto un po' sul ciglio, ho preso un filo d'erba da masticare.

Mi è solo venuto questo pensiero, diciamo questa domanda: i libri d'accordo, mi torna, lo sanno tutti che sono inutili, e quindi è giusto che vivano lí. Ma gli asini?

Capitolo 5

in cui Raimond vi spiega il mistero dei prati,
non prova a fare il funambolo perché soffre di vertigini
ma prova a occupare panchine e osserva molto i cani far pipí

Acrobati, stiracravatte, macinacaffè, cavalli spersi, poeti che declamano poesie, centrini di pizzo all'uncinetto, pittori e cavalletti, pecore belanti, violinisti, cinghialesse a spasso con i loro piccoli, aquile di gesso (quelle da mettere sui pilastri delle villette), pastelli a cera, lavagne in ardesia, pigne secche senza pinoli, posacenere da ristorante, pinoli vaganti, conigli bianchi delle nevi, giocatori di bocce, saltatori di staccionate, fiori finti, vecchie spille d'oro, nastrini di velluto, insegnanti in pensione, cappelli con la veletta, parrucche bionde, segnaposto a forma di renna con la slitta... Un'accozzaglia di persone e cose che non avete idea. Mica solo asini e libri.

Intanto è un posto gigantesco. Non finisce mai. Ponti e ponticelli, stradine e stradicciole, che tu ne prendi una e ti ritrovi non sai dove e dici: Aiuto mi sono perso, e invece no, a un certo punto imbocchi un viottolo e, non sai come, sei tornato a casa. Valli, colline, città, borgate, laghetti con le anatre. Anche montagne, di quelle altissime con la neve in cima e tutto quanto. E anche il mare. Piú lontano, pensate un po', persino il mare...

Ma la cosa straordinaria è che tu cammini cammini e non vedi niente. Nessuno, neanche mezz'anima. Cammini cammini e ti sembra di essere sulla luna. E invece, poi, basta che giri gli occhi da una parte e quel posto, miracolo, si riempie. Si popola. Cosí, di botto, che tu non te l'aspettavi, giri gli occhi e diventa pieno zeppo. Altro che la luna! Diventa un mondo. E ti pare che te lo porti tu negli occhi, quel mondo, che prima non c'era e adesso che lo guardi c'è. Ce l'hai negli occhi tu, capito? Posi lo sguardo e depositi sul terreno paesi, case, animali, cose...

O che ne so come succede, sono uno scienziato io? No, e neanche un geografo o un esploratore o chissà chi. E non è che adesso io possa stare a farvi proprio la descrizione, il riassunto, lo schema, o tutte quelle tiritere: non ho neanche il tempo, ho solo fretta di finire, cosí mi dite cosa fare.

Comunque, va bene, due cose ve le dico. Qui è tutto prati. Un prato dietro l'altro, ognuno con la sua staccionata, il suo numero. Prato 29, 32, 86, cosí. Prati numerati. E in ogni prato c'è gente che fa la stessa cosa inutile, sempre quella.

A parte dall'1 al 10, che sono i prati dello sperdimento: ci vanno tutti quando sono appena arrivati, che si sentono ancora spersi. Poi si abituano, ma all'inizio sono un po' cosí, sbiroccati (*sbiroccati* si dice da noi sull'isola, da voi non so). Camminano, passeggiano, fanno giri. Ad esempio vanno per negozi, ma senza comprare niente. Prendono l'autobus, ma non sanno dove scendere. Girano in tondo intorno alle aiuole, intorno a un monumento. O visitano case in vendita, ma siccome cercano la casa dei loro sogni non la troveranno mai. Poi quando gli passa lo sperdimento, fine, vanno nel loro prato giusto, dove fanno le cose inutili che gli piace fare, e trovano gente che fa le stesse cose inutili, tali e quali.

Capito?

No, okay. Facciamo un caso: i funamboli. Quelli che camminano sulla fune, chiaro? Cioè, prima tirano una fune, e ci vogliono due pali, due muri, due accidenti d'un qualcosa per tirarla in mezzo, questa benedetta fune. Bella tesa e alta fino al cielo. Poi loro ci camminano su. Hanno i piedi prensili, o una colla speciale. So solo che stanno dritti sopra il niente, lassú, con quei due piedi incollati e le braccia aperte tipo ali, che magari tengono cosí per stare in equilibrio. Vestiti di nero, con la calzamaglia. Non so perché sempre di nero, sembrano moscerini stagliati contro il cielo. Fa un'impressione. Avanti e indietro, tutto il giorno, tutti i giorni. Veloci, sicuri, non cadono mai. Uno alla fine si chiede la terra a cosa serve, visto che si può camminare in aria.

Be', quello è il prato 83. Prato dei funamboli. Non trovi nessun altro se vai lí, solo funamboli. Se vai lí, fai quello: cammini sulle funi. Cioè, vai lí *perché* fai quello. Se ritagliavi stencil, andavi dai ritagliatori di stencil, prato 227, per dire... Ma se sei funambolo, se sei uno che nella vita tira funi tra due muri e poi ci cammina su, allora vai bene per il prato 83.

Chi invece vuole solo guardarli, i funamboli, prato 84. Lí ci sono gli spettatori di funamboli. Gente che sta a terra. Gli piace cosí. Non è che tutti sono nati per stare in bilico su un centimetro di corda traballante, ci manca solo. Magari ti piace, ma non hai voglia di farlo: allora guardi, va bene uguale. Vai con gli spettatori. Ogni tanto sbocconcelli una nuvola di zucchero filato, addenti una barretta di croccante e stai lí con gli occhi belli spalancati, e tremi appena vedi la fune che dondola un po' troppo, e fai *oh*, fai *ah*. Poi quando i funamboli smontano, te ne torni a casa, oppure ti fermi ancora col naso per aria, a guardare il buio che arriva.

Se poi non vuoi passeggiare sulle funi e non vuoi nemmeno fare lo spettatore di chi passeggia sulle funi, metti che sei uno piú tranquillo e magari hai anche poco equilibrio e ti piace solo star seduto nella vita, non c'è problema, vai a vivere con gli occupatori di panchine. Prato 92. Lí si fa una cosa sola: si occupano panchine.

Io ci ho provato. Sempre per non dare un dispiacere a Res, che ci tiene cosí tanto... Cioè, ho provato non a fare il funambolo, impossibile per uno come me che soffre di vertigini... Ma a fare l'occupatore di panchine invece sí. Mi siedo su una panchina vuota, ci vuol niente. La occupo. E sto lí. Mi guardo intorno, osservo gli altri occupatori, seduti come me. Asini, uomini, donne, libri, fiori secchi, marmotte...

Ma sí, anche marmotte. Res dice che scendono giú dalle montagne, la smettono di fare tutti quei fischi e cominciano a occupar panchine, perché no? Cosa sono, diverse dagli altri, le marmotte? Tra una marmotta e un pensionato che va ai giardini, per esempio, non c'è poi tutta quella differenza, dice Res. In fondo, siamo tutti marmotte che si richiamano coi fischi da una montagna all'altra e alla fine, se troviamo una panchina vuota, siamo ben lieti di occuparla, dice Res.

Non ho mai pensato di essere una marmotta. Neanche un pensionato, veramente. Sto un po' cosí a guardar la gente, le auto, i bambini che corrono, cadono, si sbucciano le ginocchia. Guardo anche le foglie, gli spazzini, i tram, le donne con i vestiti corti, gli scoiattoli che scappano, i ragazzini in moto, le nonne, i passeggini, i lavavetri. Anche i brandelli di giornale che volano per aria, incalzati dal venticello. È incredibile come, stando seduto su una panchina, cominci a guardare. Prima non guardavi un accidenti. Ti sembrava, ma mica guardavi per davvero. Be', poi ti siedi su una stupida panchina e tac, guardi le cose. Anche le cose piú insignificanti e insulse, che di colpo diventano importantissime. Basilari. Sí, direi cosí: basilari. Anche solo un colpo di vento, o un cane che fa pipí.

Pazzesco in quanti posti diversi un cane può fare pipí. Sulla caviglia di una signora, sotto un tavolino del bar, in mezzo alla strada, per esempio. Se la fa in mezzo alla strada, vedi il piccolo lago che si allarga tra le gambe della gente, impiastriccia scarpe, e il padrone del cane che non sa dove guardare. Se fa la cacca, poi, non ne parliamo.

Adesso vi racconto della cacca lí da noi, sull'isola. È un bel problema. Però non vi ho mai detto cosa facevo di mestiere, sull'isola. Portavo pesi. E questo va bene, un po' ve l'ho già detto. Ma ho avuto due lavori diversi nella vita, con i pesi. Perché sapete, ci sono pesi e pesi. Dipende dall'età. Da giovane sei forte, hai i muscoli e via dicendo, potresti anche sollevare un elefante. Poi invece ti spostano, e allora capisci che sei vecchio. Ma va ancora bene. Il brutto è quando non ti spostano neanche piú, ti mettono sul camion blu e buonanotte. Ma questo anche ve l'ho detto.

Quindi da giovane lavoravo in cantiere. Portavo sacchi di cemento, mattoni, travi, quelle cose lí. È la cosa piú bella del mondo, costruire case. Veder venire su i muri, il tetto... Quando si mette il tetto si fa una festa gigantesca perché, d'accordo, la casa non è ancora finita, ma il tetto almeno chiude. Da lí in poi non ci piove piú. Cosa fatta capo ha, e non ci piove piú dentro niente. Niente di brutto, dico...

Va be', basta. Mi sono intristito. Ve lo racconto un'altra volta, il mio secondo lavoro con i pesi. E anche della cacca, magari un'altra volta. Tanto viene sera, e stanno per arrivare gli inservienti.

Capitolo 6

in cui Res spera che Raimond diventi un giocoliere,
o almeno un avvitatore di lampadine,
o un allevatore di girini, o una madre di figli lontani;
e Raimond invece diventa cosí triste
che sogna la sua mamma quando è morta

Dovevo smetterla di sentirmi vecchio, malconcio e inutile, diceva Res, e meno male che avevo incontrato lui.

Io non capivo cosa s'era messo in testa. Diceva che lí a Variponti erano tutti inutili ma felici, molto meglio che inutili-tristi come me. Aveva questo chiodo di farmi diventare felice, sembrava una specie di missione la sua.

Ogni giorno, cascasse il mondo, alle otto in punto veniva a prendermi. Mi portava in giro, mi faceva conoscere gli altri varipontini.

I giocolieri dei semafori, che quando il semaforo diventa rosso spuntano come lepri da non so dove e saltano in mezzo alla strada e si mettono a tirar per aria certi birilli, a lanciare palline da una mano all'altra, a passarsele sotto le ginocchia, intorno alle spalle. E gli automobilisti se ne stanno fermi. Per forza, hanno il semaforo rosso. Ma li vedi che non sanno cosa fare, se guardarli o ignorarli. Tengono le mani sul volante e fissano un punto nel vuoto, si grattano un orecchio, fingono di sfogliare certe carte importantissime sul sedile, si mettono le dita nel naso.

Alla fine i giocolieri passano tra le auto col cappello in mano. Ma quasi nessuno gli dà un soldo. Scatta il verde e gli automobilisti ripartono. Al semaforo dopo, stessa storia. Secondo me non lo fanno per i soldi, lo fanno per qualcos'altro. Insomma, non t'impiastricci il viso di colori, non ti metti il naso finto a palla roteando bottiglie, solo cosí, per quattro soldi che neanche ti danno. Perché lo fai? Uno può anche lanciar palline e basta nella vita? Può darsi. Ci prende gusto, che ne so.

Res spera che io voglia diventare uno di loro. Si capisce lontano un miglio. Lui spera sempre che io voglia diventare qualcuno di questi qui che mi fa incontrare, un giocoliere o un infilatore di perline o anche un esploratore della savana. Che mi incapricci di qualcosa, tipo suonare il tamburo per strada, o intrecciare ghirlande di pino o tirare i sassi piatti nell'acqua e vederli saltellare cinque, sei volte. Anche nove o dieci, se sei bravo.

Mi dice proprio cosí:

– T'incapricci? Ti vuoi incapricciare una buona volta?

Manca solo che mi chieda per favore.

A me dispiace dargli tante delusioni. Però lo seguo. Sempre. Ovunque mi voglia portare io vado.

Anche dagli allevatori di girini. Che vivono ai bordi di certi stagni verdastri, nel prato 125. Stanno chini tutto il giorno a guardare. Va be'. E poi? Quando hai visto che un girino mette le zampe, magari è anche diventato rana, cosa te ne fai?

E gli avvitatori di lampadine? Abitano in certi capannoni bui, dove ci sono delle assi sospese per aria da cui pendono decine e decine di portalampadine. E loro attaccano e staccano lampadine. Nient'altro. Vedi tutto quel buio enorme che ogni tanto s'illumina in qualche punto. Sembrano le lucciole in campagna, d'estate.

Mi ha portato anche nel prato delle madri di figli lontani. Sapete cosa fanno tutto il giorno? Spostano foto. Ognuna ha almeno un figlio lontano, se non due o tre. Un figlio che non può vedere, accarezzare. A cui non può preparare il sugo per la pasta, cosí, per dire. Hanno questo album, e se lo aprono, sfogliano, guardano. Richiudono, riaprono. E a un certo punto spostano le foto. Capite? Le foto sono sempre quelle, sono le foto del figlio quand'era piccolo, quando ha fatto la prima comunione, il giorno della laurea. Quando andava in bici, o raccoglieva lucertole. Foto! Non importa di cosa. Le cambiano di ordine. Per dire, prima c'era la foto di lui in passeggino e poi quella di lui che si sbrodola di gelato? Bene, le invertono, adesso prima c'è il gelato, poi il passeggino. E via cosí. Tutto il giorno. Se sono madri giovani, invece degli album hanno l'iPad, ma fa lo stesso. Spostano directory, invertono file, cancellano, ripristinano. Comunque alla fine è uguale. Tramestano foto. È tutto un tramestio, la loro vita. Come le chiamano qui, tramestatrici di foto? O di figli? Non mi ricordo.

Res mi guardava in un modo, quando mi ha portato lí... E io mi dicevo: ma è matto? Vorrà mica che mi metta a fare la madre di figli lontani? Un po' mi dispiaceva di non essere mai come lui vorrebbe che fossi, però c'è un limite, vi pare?

Il problema è che poi m'intristisco. Dài e dài, a forza di girare certi posti, mi viene da intristirmi secco. Res non lo sa. Non glielo dico perché ci starebbe male, mi arrabatto a far finta. Ma mi prende una tristezza che mi scende giú come un peso nello stomaco. Un peso dentro, molto peggio dei pesi fuori, quelli che portavo quando lavoravo nell'edilizia, niente a che vedere.

Soprattutto la notte. Perché la notte ti sogni quello che di giorno ti ha intristito, chiaro. È come se quel peso dentro venisse fuori, si mostrasse, e tu te ne puoi stare lí a guardarlo, come al cinema. Sapete il cinema all'aperto, d'estate? Sulla mia isola si faceva tanto. In piazza, col telone bianco e le sedie di plastica tutte in fila, che poi s'impilano e bisogna portarle via sulla schiena. I sogni che facciamo di notte sono i film che ci proiettiamo da soli, nel buio delle nostre tane. Cosa ci possiamo fare? È cosí. Quel che ci pesa di giorno vien fuori la notte. La volta che ho visto le madri dei figli lontani, per esempio, poi ho sognato la mia mamma. Lo so che sono vecchio, ma uno si sente figlio anche da vecchio. Soprattutto se non ha piú la mamma. Gli anni non contano, per come ti senti. Nei sogni, poi...

Ho sognato mia madre quando l'ho persa. A quell'epoca giocavo ancora a tirar sassi giú dalla scarpata, a chi li mandava piú lontano. Eravamo una banda, con mio fratello Piter e mia sorella Albinia. Lavoravamo sodo già da anni, a portar assi e sacchi di cemento. Ma eravamo ancora spensierati. Eravamo in quel momento della giovinezza quando sta per finire ma non è ancora finita e tu non te lo sogni neanche che finirà. Un attimo prima della vita adulta. Hai quell'ebbrezza di poter fare tutto, di avere solo porte da aprire. E apri, apri. Non fai che spalancare porte. Un attimo, e si chiuderanno tutte una per volta. Ma non lo sai ancora, e ti fai bastare il tempo.

Quella notte sono tornato a casa prima degli altri, e ho trovato mia madre fuori, sul prato. Cosa fai, mamma, ancora alzata? Niente, non risponde. Mi avvicino, le parlo, le faccio altre domande. Non risponde.

Allora percepisco un'immobilità. Solo questo. Solo un movimento che non c'è, che di colpo è diventato impossibile: mia madre non si muove piú. È lí, su quel prato, di notte, c'è la luna, un vento lieve, il mare che sfiora la riva, un leggero rumorio di fondo. E io non lo capisco subito cosa vuol dire. Vedo mia madre lí, ferma, l'occhio piantato avanti che non ha piú palpebra, e non lo capisco che è morta. È solo immobile, questo sí. Anche la palpebra è immobile, non scende, non s'alza... Aiuto!

Chiamo aiuto a piú non posso, sono disperato. Accorre mio padre, poi mio fratello e mia sorella, i vicini intorno escono dai capanni. È tutto un frastuono di suoni acuti che perforano la notte. Arrivano anche a uno a uno i muratori, i carpentieri, i capisquadra. Tutti gli uomini del cantiere, e poi le loro donne. Mia madre è conosciuta, le vogliono un gran bene sull'isola. È la piú anziana, un po' troppo grassa, d'accordo. Dimagrisci, Carmina!, le diceva sempre mio padre. Ma lei niente, lei mangiava tanto, le piaceva. Fatemi mangiare la mia frutta, diceva, e se l'andava a cercare negli anfratti che sapeva solo lei. Bisognava lasciarla fare, tornava allegra e sorridente quando aveva mangiato la sua frutta. Che poi, in realtà, erano delle strane bacche. Blu.

Ce l'aveva sempre con queste bacche blu, ne andava ghiotta. Che cosa fossero, poi... Le trovava solo lei, se ne faceva certe scorpacciate... Io mai vista una bacca blu, non so cosa dirvi. Ho anche pensato che se le fosse inventate. Ma tornava con certi baffi bluastri che lo capivamo tutti che era vero.

E ora non le avrebbe mangiate piú. Come faceva, con quella bocca ferma? Non sorriderà mai piú, mia madre. Fine. Quella mamma grassa che mi dava sicurezza, che mi diceva sempre: Raimond, noi isolani siamo diversi, abbiamo il mare intorno che ci fa da cinta. Eri tu mamma che mi facevi da cinta. E io adesso mi sento cosí nudo, cosí esposto. Chiunque può arrivare e prendermi.

Nel sogno sono piccolo, cosí piccolo che mi rannicchio sotto una pietra, piccolo come una foglia, e piove, si mette a piovere a dirotto, meno male, cosí nessuno si accorge che non piove, che sono io che piango, ma non devo, mio padre me lo dice sempre che non va bene, non lo vogliono sull'isola uno che piange, e forse non sono io che piango quella notte, è solo dentro al sogno, che piove. Oppure sono io che piovo, perché mi sono trasformato in nuvola e le nuvole questo fanno: piovono acqua. S'addensano e piovono. E io mi addenso, mi rannicchio, sto tutto piegato su di me, per occupare meno spazio, per esistere meno che si può, perché se non ho piú la mia mamma, che senso ha? Come la vivo una vita ancora lunga con tante cose dentro, tipo un figlio bravo, un'amica che ti sorride per la strada, i sentieri di montagna con l'ombra delle piante per riposarti, la notte...

Non so se avete capito. La notte, per esempio: come si può passare ancora tutte queste notti cosí belle a guardare la luna, e la tua mamma che non c'è? O quando Spin ha fatto la sua prima gara di corsa e gli hanno messo la corona di fiori al collo, là sul palco, cosí per ridere, e a me è venuto da piangere, e tutti a dire: Ma perché piangi invece di essere contento? E io lo so, era una cosa cosí bella, cosí importante... Ma era troppo. Mio figlio vinceva quella gara, e mia madre non era lí a vederlo.

Non puoi piú reggere la felicità, se non hai piú tua madre. È troppo un peso.

Capitolo 7

in cui Raimond parla dei treni paralleli,
vi legge finalmente qualcuna delle lettere che riceve,
e voi scoprirete chi gli scrive

Mi sentivo solo, qui a Variponti. Ecco la verità. Res non c'entrava niente, poverino. Mi aveva portato qui perché voleva il mio bene.

E adesso vi dico una cosa. Non ero solo proprio per niente, invece.

Ma l'ho saputo adesso che non ero solo, leggendo queste dannate lettere.

Le avessi lette subito, magari scappavo. Magari andavo a vivere da Guglielmo. Ma chi lo immaginava che esisteva questo ragazzino, questo Guglielmo?

La vita è come se ci fossero tanti binari paralleli, tu sei un treno che va in mezzo alla campagna, e mica lo sai che intanto, insieme a te, nello stesso preciso momento, viaggiano un sacco di altri treni, belli appaiati. Se lo sapessi, non ti sentiresti un treno sperso e isolato.

Ma adesso vi leggo qualche lettera di Guglielmo, di questo ragazzino che s'è messo a scrivermi. E io non ne sapevo niente. Di colpo uno che non so chi è, gli salta in testa di mandarmi lettere. A me!

8 gennaio 2014

Caro Raimond,

siccome sei diventato mio volevo farmi vivo di persona, almeno per scritto. Visto che chissà quando si degneranno di portarmi da te... o di far venire te da me, che sarebbe meglio. Non saprei tanto dove metterti, perché in camera mia non c'è posto. Dormo con Zachi, che di notte fa un casino perché ha gli incubi. Lo psicologo dice che crescendo gli passerà, è solo la sindrome di Blusbaum, o di non so che cosa. Ma crescerà? A volte penso di no, che resterà cosí per sempre.

Comunque è mia opinione che potresti stare comodo in cortile. A parte la puzza, perché c'è tutta la fila dei bidoni della spazzatura, giú in cortile. Però c'è anche una specie di casetta di legno, con un'aiuola davanti e un albero in mezzo. Spelacchiata, ma c'è. Dico l'aiuola. Bisogna solo chiedere il permesso ai miei genitori, che dovrebbero chiederlo all'amministratore, che dovrebbe chiederlo ai condomini. Insomma una cosa lunga. Ma secondo me staresti bene. Forse bisognerebbe anche farti una tettoia, per mangiare fuori quando piove o c'è troppo sole...

Comunque, io vivo qui con i miei genitori e ho due fratelli, cioè un fratello piccolo e una sorella grande, rompiscatole. Io sto in mezzo. Sono il figlio di mezzo.

Volevo solo dirti che sono contento di conoscerti. Cioè, io non avrei mai pensato di averti, ma adesso che ci sei sono proprio contento, anche se non ci sei veramente, ci sei a distanza... Volevo dirtelo, cosí magari sei contento anche tu di avere me, cioè: sei contento che io esisto... anche solo a distanza.

Spero quindi che tu stia bene. Spero anche di vederti presto.

Tanti cari saluti,

Tuo Guglielmo Strossi

E questa è la prima lettera.

Quella che stava sotto il mucchio, che era diventata l'ultima perché io ci mettevo sopra le altre quando arrivavano.

Quando me le portava Frido, il postino.

Non so quante me ne avrà portate. Trenta, quaranta? Mai letta una per mesi, fino a ieri.

Comunque ve ne leggo altre due o tre. Facciamo quattro, cosí inquadrate meglio.

9 gennaio 2014

Caro Raimond,

scusami per la lettera precedente. Come prima lettera non era granché, dovevo essere piú preciso, infatti adesso te ne scrivo un'altra. Per esempio non mi sono neanche presentato. Lo faccio adesso, anche se è la seconda lettera. Mi presento: piacere, sono Guglielmo Strossi, della I C.

Mi chiamo Guglielmo di nome proprio, solo perché a mia madre piace Gulliver, quello dei viaggi. Sono alto uno e quarantadue e mezzo. Potrei anche dire quasi uno e quarantatre, ma è meno preciso. Quindi non sono alto, sono basso. Dovrei dire: sono basso uno e quarantadue e mezzo. E sono nato il 24 dicembre 2002, quindi ho 11 anni. E quindi mai visto un regalo di compleanno, perché tanto è Natale. Ho lasciato passare le vacanze di Natale per scriverti perché non volevo disturbarti in vacanza. Cosa manca? Ah sí, dove sono nato: a Torino. E quanto peso. Be', lasciamo perdere...

Dati oggettivi completati.

La Garulla dice che prima di tutto in una presentazione di sé bisogna dare i dati oggettivi, che sono quanti anni hai, dove sei nato, l'altezza, il peso, il colore degli occhi e dei capelli.

I capelli li ho biondi, rasati dietro e con il ciuffo sulla fronte. Gli occhi azzurro-acqua.

Cari saluti,

Tuo Guglielmo Strossi

P.S. Ah, una cosa importante: non dirlo a nessuno che ti scrivo.

10 gennaio 2014

Caro Raimond,

mi sono appena scaldato la pasta e me la sono mangiata. Era al sugo. A me piace la pasta al sugo, ma solo quando è appena fatta. Se te la devi riscaldare il rosso del sugo si asciuga e diventa secco. Non è piú sugo, sei d'accordo?

Ho anche già guardato il video di dopopranzo e, siccome l'ho guardato stravaccato sul divano, mi è venuto sonno. Mi succede sempre. Dovrei guardare i video da seduto. Allora ho pensato di scriverti. E infatti adesso ti scrivo. Dovrei fare i compiti di grammatica e studiare i problemi dell'Africa. Meglio che ti scrivo.

Ti va se ti racconto la giornata a scuola? Mi sveglio alle 6,45 e faccio colazione. I miei dormono ancora perché hanno gli orari flessibili. Che vuol dire che vanno a lavorare abbastanza quando vogliono. C'è solo Benedetta, in cucina, che traffica con i suoi corn flakes light, io invece mi riempio di brioche scaldate al microonde. Non ci diciamo una parola, perché non abbiamo niente da dirci. Lei è mia sorella e fa il penultimo anno di liceo, poi farà la Cooperazione internazionale. Che non so cos'è. Io invece frequento la prima media alla scuola Colombino Marzio. Lei è magra. Io no.

I miei genitori fanno gli intellettuali, di mestiere: mio padre è giornalista storico, cioè è uno storico che però fa il giornalista, e mia madre dirige un'associazione culturale che si chiama Amici della Cultura.

Cari saluti,

Tuo Guglielmo Strossi

11 gennaio 2014

Caro Raimond,

forse ti chiederai chi è la Garulla. È la mia prof d'italiano e non si chiama Garulla, la chiamo io cosí. Sai quelle persone un po' spoglie e insipide, che ti viene da dire che sono brulle, hai presente? Come una campagna brulla. In realtà si chiama Garellini, ma non le sta bene un nome che finisce in *ini*, troppo allegro.

Sono molto contento di averti. Mi dispiace solo che sei a distanza. Anzi, mi viene il nervoso... Non potevi essere a vicinanza? È la prima cosa che ho detto ai miei. Grazie, ho detto, ma non potevate prendermene uno a vicinanza? Invece sul certificato c'è proprio scritto «Adozione a distanza». Per questo ti scrivo. Se stai distante, cos'altro posso fare?

Cioè, ho cercato di venirti a trovare. Ma come ci arrivo da te? Ho guardato su Google Earth, non siamo cosí lontani, 70 chilometri e 700 metri, per essere precisi. Si potrebbe anche fare. Ma i miei, figurati, non hanno un minuto. Hanno detto di sí, che certo, mi portano di sicuro, sarebbe una bella gita. Ma li conosco, campa cavallo. Amici a cui chiedere non ne ho. Amici col motorino, dico. E anche amici senza motorino, o con la bici, non è che ne abbia cosí tanti.

Cari saluti,

Tuo Guglielmo Strossi

13 gennaio 2014

Caro Raimond,

se tu abitassi qui con me ti porterei per strada, a passeggio. E anche a scuola alle otto. Poi tu te ne potresti andare per i fatti tuoi, ma alle otto, otto meno un quarto per essere precisi, sarebbe proprio bello che tu ci fossi. Anche perché è il momento che arriva Dennis Cartozza, e quindi io un po' avrei bisogno.

Lo so che non puoi venire tu da me. E per ora facciamo pure cosí, che quando ho bisogno io ti scrivo. Quando ho bisogno di raccontarti delle cose, perché non so mai a chi dirle. Ci ho pensato su parecchi giorni, e anche di notte, perché scrivere a uno come te lo so che non va bene, se lo sanno in giro mi prendono per pazzo, sarebbe meglio vedersi di persona...

Se però invece vieni, tra l'altro, io ti farei conoscere subito i miei crostacei, che ti piacerebbero molto.

Va be'. Intanto ti mando queste lettere perché non so in che altro modo fare, con te. Non sempre però, non tutti i giorni. Non tuttissimi, se no ho paura che ti disturbo. Tu se vuoi le leggi, se no no, le puoi anche tenere chiuse. L'importante è che te le mando. Grazie.

A presto,

Tuo Guglielmo Strossi

Ci ho messo un po'. Ho dovuto leggermene un certo numero, di queste lettere, prima di capirci qualcosa, ieri sera. Non era facile, okay? Questo ragazzino che mi parla della pasta al sugo, della Garulla, e che mi dice che sono suo.

Ma scusate, succede cosí, che uno ti adotta e tu manco lo sai, nessuno te lo chiede, niente? Tu te ne stai lí tutto solo, con le ginocchia che ti fanno un male cane, te ne stai a lamentarti di com'è andata la tua vita randagia, e a non so quanti chilometri di distanza c'è un ragazzino che ti ha niente meno che adottato... Cambia la prospettiva, come direste voi, no?

Peccato solo che non le ho lette prima, queste lettere.

Se no gliel'avrei detto, a Res, che era inutile che mi facesse fare tutte quelle cose inutili: io ero uno adottato, avevo ben altro nella vita, non mi potevo perdere con lui in giro per i prati.

Capitolo 8

in cui Raimond non scala le montagne e non fa il navigatore solitario

Invece, siccome io quelle lettere non le avevo lette, Res continuava a portarmi di qua e di là, di prato in prato. Per farmi incapricciare, chiaro.

Anche dai guardatori della luna, per dire. Vivono in un prato sterminato, il n. 72, leggermente curvo. Ma credo per via dell'orizzonte, che da lontano ti sembra sempre curvo. Sono tantissimi, disseminati qua e là. Seduti per terra, si tengono le ginocchia al petto. O stanno supini sull'erba, con le braccia sotto la testa. O anche in piedi, con la faccia rivolta verso l'alto.

Ogni tanto uno dei guardatori entra in casa, cosí poi può uscire: esce, rimane anche solo sulla porta, o va in mezzo alla strada, fa lo stesso; vede che c'è la luna in cielo e allora non si tiene, lo dice agli altri. E via cosí, prima uno poi l'altro. Si telefonano continuamente, o se lo urlano per le strade:

Esci!

Va' a vedere!

C'è la luna!

Guarda che luna!

Allora anche gli altri guardatori entrano in casa, poi escono, poi rientrano. Poi riescono, rientrano. E ogni volta si stupiscono di veder la luna. È da non credere: guardano la luna novecento volte al giorno, e ogni volta si stupiscono di quanto è bella, di quanto è piena, di quanto assomigli a una falce, a una palla, a un sole…

Ad ogni modo è per questo che adesso passo un mucchio di notti a guardar la luna. Per Res, per fargli piacere. Prima non ci pensavo neanche.

Succede cosí: vado da Garibaldi, tanto lui non dorme mai, se ne sta sempre fuori in cortile a muovere una di quelle sue orecchie. Vado da lui, mi metto anch'io sdraiato e la guardiamo insieme, la luna. Magari non diciamo niente, ma va bene. È diverso guardare la luna con un amico, piuttosto che da soli. Con la luna un po' mi sono incapricciato, lo ammetto, e lo devo a Res.

Ma con gli scalatori di montagne ha fallito in pieno. Mi dispiace. Voleva che provassi a fare questa cosa molto inutile, di scalare le montagne. E io obbediente, ligio (*ligio*!), sono andato a vedere. Senza banfare. (*Banfare* era una parola di mia madre: Non banfare!, mi diceva, e io capivo che dovevo stare zitto. Anche *zitto e mosca* mi ricorda lei, tantissimo).

Gente strana, gli scalatori di montagne. Si bardano con calzamaglie, calzettoni, scarponi, tuta, cappuccio, zaini, ramponi, corde, moschettoni... Poi, con tutta quella roba addosso, cosí pesanti come sono diventati, si arrampicano sulle rocce. Vanno su in fila tenuti da una corda, uno dietro l'altro che a vederli dal basso sembrano formiche schiacciate sulla pietra. Mi chiedo perché mai. Ma me lo chiedo cosí, innocuo, solo dentro di me. Non voglio infastidire nessuno, o mettere pulci.

La notte è ancora peggio: si appendono alle corde chiusi in un sacco. Si fanno una specie di tenda volante, non so bene. E dormono aggrappati come ragni alla roccia, spencolati nel baratro. Come si fa a dormire appesi a una montagna a duemila metri? E al mattino ripartono come niente. Senza lamentarsi. Mai un grugno, un brontolio.

E il bello è che appena arrivati in cima ridiscendono. Giusto il tempo di godersi il panorama, tirare il fiato, e si ributtano a valle. Poi ripartono, riscalano, riscendono... Devono sempre scalarne un'altra e poi un'altra ancora, di montagna.

Sull'isola, d'accordo, anch'io salivo su alla rocca per poi tornare giú al porto. Ma lo facevo per portar valigie. Questi scalatori invece non portano su mai niente, solo se stessi, non so...

Se non ha funzionato con i monti proviamo con il mare, mi ha detto Res. Che non fa una piega, come ragionamento. Ve l'ho detto, è un tipo logico.

A me vedere il mare mi mette un trambusto nello stomaco, mi sembra un po' di rivedere la mia isola. Ma solo un po', per fortuna, perché qui il mare non è turchese come da noi, è grigioverde.

Mattino tiepido, maestralino leggero: il meglio che si possa desiderare per andare a vela. Sulla spiaggia trovo un navigatore solitario. Solo uno perché se no non sarebbe solitario. Credo ce ne sia uno per ogni spiaggia, ognuno lí con la sua barca che se la arma, poi s'infila nella sua cerata, molla gli ormeggi e parte. Ognuno dentro la sua personale solitudine a forma di barca.

Forse è questo, la solitudine: una specie di barca. Ognuno ha il suo guscio, la sua vela, e va per il mondo cosí, accoccolato dentro se stesso. Per questo stiamo un po' lontani l'uno dall'altro, perché se le barche si scontrano magari si rompono. Soprattutto quelle piú fragili. Per questo i navigatori solitari devono avere solitudini, cioè barche, molto resistenti. Se no non potrebbero affrontare le tempeste, i cavalloni e i fulmini.

Comunque quel mattino il mare è calmo e c'è poco vento. È tutto cosí bello. E a me viene una malinconia che non avete idea, come quando parte qualcuno e tu lo accompagni al porto e poi vorresti morire, tanto ti fa male vederlo andare via. Ma io quel tal navigatore solitario non lo conosco, e allora perché divento cosí triste? Cosí vado a conoscerlo, tanto star male per star male...

Si chiama Gigi. Non so, mi sembra di piú un nome da gatto che da navigatore solitario. Mi fa una tenerezza, mi verrebbe da accarezzargli il pelo. Il fatto è che mi dispiace che parta. O sono io che parto? Chi lascia chi? Vista da fuori, uno guarda una barca che se ne va. Ma nel concreto, cioè nel didentro... (si dice *nel didentro*?) chi ci sta peggio? Io. Perché è lui che si distacca, che ha questa idea di andarsene via con una barca in mezzo al mare.

– Gigi, Gigi!

Provo a chiamarlo forte, ma non mi sente piú.

Res mi guarda. Non immaginate con quale tormento dentro.

– Ma come? Non vai con lui? – mi chiede.

E prende a raccontarmi com'è bello andar per mare, sentire il vento, lo sciabordio dell'onda sulla chiglia, le albe, i tramonti e tutte quelle storie. Lo ascolto. Mi piace quando infila certe frasi altisonanti una via l'altra, è cosí bravo... Ma andar con Gigi, e dài! Perché dovrei? A fare cosa? Gigi va a scoprire nuove Americhe, sbaragliar pirati, disinnescare mine sottomarine? No. Ha qualcuno che lo aspetta dall'altra parte del mare, dall'altra parte del mondo? Qualcuno che ama e che non vede mai perché c'è il mare in mezzo? No. E allora perché va, santa spinabba secca, perché?

Vale la pena mettere su una vela e fare che il vento ti porti e basta?

Capitolo 9

in cui finalmente si capisce chi è Raimond (e meno male, se no ve lo avrei detto io)

Intanto, fatemi capire: ma voi lo sapevate che gli asini si possono adottare?

Io no.

Sono stati i genitori di Guglielmo, capito? A Natale gli hanno regalato l'adozione a distanza di un asino. Gli hanno regalato me.

Insomma, detta in breve: sono diventato un certificato.

E, sempre parlando dei binari paralleli, si può sapere dov'ero io a Natale, cosa facevo? Ma questo non c'entra, okay. La mia amica Marci direbbe che un perché c'è sempre, basta cercarlo nelle scatole della vita. E un dove? C'è sempre anche un dove?

Va be'. Sentite che razza di marchingegno di storia mi racconta questo ragazzino, sul Natale, i regali sul tappeto, i bigliettini e tutto il resto, compresa questa storia pazzesca di Gesú Bambino.

13 febbraio 2014

Caro Raimond,

questa è già la mia diciottesima lettera, ed è proprio ora che io ti racconti com'è andata che tu sei arrivato nella mia vita.

Sei stato il mio regalo di Natale di quest'anno, ecco com'è andata.

Ti ho ricevuto cinquantun giorni fa esatti. Anzi, cinquanta giorni e diciassette ore fa. Perché era il mattino di Natale, non la sera prima, per essere precisi. Ci sono famiglie che festeggiano la sera, col fuoco nel camino, il buio fuori, i cappelletti in brodo caldi e tutto. Noi invece il mattino. Verso le otto, in genere. Ci svegliamo presto apposta, per vedere se è passato Gesú Bambino. Anche se non ci crede piú nessuno. Solo Zachi ci crede, perché è piccolo. Poi smetterà anche lui.

Comunque sai una cosa? A me non importa se ci credo o no. Non me lo chiedo. In qualche modo strano ci credo lo stesso. Forse, se ci riesco, se sono molto bravo, non mi passerà mai, questa cosa di Gesú Bambino. Mi può continuare anche tutta la vita, lo sento.

Siccome non te lo immagini neanche com'è il Natale da noi, te lo racconto. Perché abbiamo un modo, noi, di fare Natale che non so se qualcun altro ce l'ha, nel mondo, un modo cosí...

Ci mettiamo tutti in circolo in salotto, intorno all'albero di Natale con le palle, le luci, gli animaletti appesi. Sul tappeto ci sono i pacchi, con il bigliettino dove c'è scritto per chi è il regalo.

A turno ognuno si prende uno dei suoi pacchi, finché non finiscono. È una cosa lunga, anche perché siamo in cinque. Ma soprattutto perché quelli non sono bigliettini normali con su scritto il nome e tanti auguri, no, sono delle specie di lettere dove i nostri genitori ci spiegano il valore simbolico.

Quindi, i regali ce li porta Gesú e i biglietti li scrivono i nostri genitori. Sembra che non possa funzionare, detta cosí. E invece funziona. Non fa una piega.

Il valore simbolico sarebbe: non importa quanto costa il regalo, o a che cosa serve, magari non vale una lira e non te ne fai niente, però ha un valore speciale, che adesso noi genitori ti spieghiamo. Già, se no come lo capisci? Lo sanno solo loro, i genitori, perché ce lo fanno, quel regalo. E lo scrivono nel bigliettino. Per questo dura tanto: perché hai voglia a leggere tutti quei bigliettini, si fa anche mezzogiorno! Posso farti due esempi, cosí capisci.

A Benedetta l'anno scorso hanno regalato una scatolina di puntine da disegno tutte colorate. Pensa, uno vede un pacchettino dorato con il fiocco e si sogna chissà che, invece poi apre e si trova le puntine.

Mia sorella si sognava un paio di orecchini, secondo me. Perché a lei piace agghindarsi, truccarsi, e tutte quelle cose da femmina. Di orecchini ne avrà ventisettemila, con i pendagli che le sballonzolano sul collo, ma se ne fa regalare sempre di nuovi, soprattutto da Federico che fa tutto quel che vuole lei.

Perciò, quando ha scartato il suo pacchetto, io lo sapevo che sperava fossero orecchini, magari a forma di gatto, perché a lei piacciono i gatti. Mio padre, che stravede per lei, dice che lei *è* una gatta. Non so cosa intenda dire, esattamente. Forse che, essendo cosí magra e lunga, si muove come i gatti. Benedetta comunque ha diciassette anni, l'anno prossimo finisce il liceo e ha già questa specie di fidanzato che si chiama Federico e a me fa venire le ginocchia molli, tanto è sempre lí adorante e perfettino. Un fighetto da pasticceria, aperitivo con l'oliva e cose del genere. Ai miei piace da matti. Soprattutto a mio padre, dice che sono proprio fatti l'uno per l'altra e che Benedetta ha davvero bisogno di un ragazzo cosí.

Ma questo non c'entra. Nel biglietto delle puntine c'era scritta una cosa tipo: Cara Benedetta, la vita è una parete spoglia, ma spesso anche un insulso foglietto ce la può addobbare. Buon addobbo, Benedetta cara!

Che uno ci mette anche un po' a capire che le puntine, quindi, servono per tenere appesi i fogli alla parete... Ma quali fogli poi?

L'altro esempio riguarda me. Due Natali fa mi hanno regalato un portachiavi con un cammello appeso. Di una plastica color cammello, con qualche pelo piú scuro sulle gobbe, disegnato. Carino. Ma un portachiavi. Me ne regalano uno ogni Natale. A volte due. A volte anche al compleanno e a Pasqua nell'uovo. I nostri genitori se le fanno fare apposta le uova di Pasqua, dal cioccolataio, cosí ci mettono la sorpresa con il valore simbolico. Ma anche in un giorno qualunque, magari ci regalano un portachiavi. Magari per dirci qualcosa d'importante. Sono convinti che gli oggetti parlano piú delle parole. Infatti, non ci parlano e ci riempiono di oggetti.

Facendo una media, ognuno di noi si becca almeno 3 portachiavi all'anno. Adesso moltiplica per gli anni: io ne ho undici, Benedetta diciassette e Zachi quattro: in tutto fa trentadue. 32 anni per 3 portachiavi fa 96. Cioè, noi abbiamo ricevuto finora almeno 96 portachiavi nella vita, dico noi tutti e tre insieme. Forse anche 120, 122.

Ma uno cosa se ne deve fare di tutti 'sti portachiavi? Non dovrebbero servire a portare le chiavi? E quante chiavi dovremmo avere? A parte il fatto che le chiavi di casa ce le ha solo Benedetta che è grande, io e Zachi campa cavallo...

Fine del discorso sui portachiavi.

Torniamo al cammello. Lo guardo penzolare. Leggo il bigliettino: Per il nostro amato Guglielmo, per attraversare i suoi infiniti e preziosi deserti interiori, perché trovi finalmente un'oasi... Buon Natale!

Deserti interiori! Preziosi, poi...

Ma vaffanculo!

17 febbraio 2014

Caro Raimond,

nell'ultima lettera mi sono arrabbiato e ho dovuto smettere. Scusami... Eravamo che tu sei stato il mio regalo. E tutta la pappardella di come facciamo noi i Natali te l'ho scritta solo per dire che noi qualcosa di normale mai. Noi siamo originali, come famiglia... Ci facciamo regali originali. Mai una felpa o un paio di scarpe da ginnastica, un cd o un videogioco.

Quest'anno, quindi, solito circolo sul tappeto noi cinque, solito albero, palline e tutto quanto. E ci sono tre pacchetti. Uno piccolo, uno medio e uno grande.

Il pacco grande, cioè enorme, è per Zachi. È un parabordo. Lui lo scarta, con calma, tutto fiducioso, e gli salta fuori dal pacchetto questo grandissimo parabordo bianco. Hai presente quella specie di siluro di plastica che si mette fuori dalle barche per non farle sbattere? Avessi visto la faccia di Zachi... Lui si aspettava minimo un peluche gigante, con quel pacco. Secondo me si aspettava l'orso Baloo. Zachi va matto per l'orso Baloo... Invece era un parabordo. Almeno avessimo una barca...

Nel biglietto era spiegato il valore simbolico: Al nostro piccolo Zachi, per parare i duri colpi della vita senza rovinarsi la vernice.

La vernice? Un bambino di quattro anni? Ma quale vernice?

Allora io non ci ho piú visto. Ho aspettato che finisse il pranzo di Natale, salmone, agnolotti, arrosto, e nel pomeriggio ho attaccato quel coso al soffitto di camera nostra. Almeno è diventato un punching ball, e ho detto a Zachi che lo poteva prendere a pugni quando voleva. Perché a me Zachi certe volte mi fa pena, che colpa ne ha lui dei genitori che abbiamo...?

Invece nel pacchetto medio per Benedetta c'era un fermaporte in ghisa a forma di gatto. Nero. Un oggetto orribile, pesante, che se ti cade su un piede te lo sfracella. Per tenere sempre aperte le porte della tua meravigliosa vita che ora si affaccia sul futuro... per fare entrare la fortuna... l'imprevedibile... E altre cavolate simili, che adesso non mi ricordo. Comunque hai capito...

E poi c'era un pacchetto microscopico per me. Anzi, un non-pacchetto... una specie di cilindro molle lungo quindici-sedici centimetri. Io desideravo un regalo a scelta tra questi due: o un'astronave, da costruire, o un cavallo, vero.

Invece: Gulli caro, quest'anno hai un regalo davvero

speciale!, dice mamma. Aiuto... A me viene l'incubo di un portachiavi gigante... tipo un vichingo portafortuna sulla sua nave con le corna e la vela a strisce... Invece no: un asino. Cioè, un foglio... Srotolo il foglio e c'è scritto che abbiamo adottato un asino a distanza. Cioè, che io ho adottato un asino. Te.

Zachi chiede cosa vuol dire. Io no, non ce la faccio, non mi vengono le parole. Niente. I genitori ci fanno tutto un discorso confuso, che adesso noi abbiamo un asino ma lui non c'è per davvero, che se ne sta distante ma è nostro, cioè che è nostro ma noi non possiamo accarezzarlo o dargli la biada perché lui non è qui...

E dov'è?, chiede Zachi. Lui ha questa capacità di dire le cose dirette che io... non so cosa darei. Io di solito sto zitto e mi rumino le domande dentro. In quel momento sto ruminando che io l'asino lo vorrei per davvero... Che è proprio una buona idea regalarmi un asino, anche se volevo un cavallo. O al limite un cane... Ma perché a distanza? Non poteva essere piú normale, a vicinanza?

È in un posto bellissimo l'asino di Guglielmo, dicono i miei a Zachi.

Ma possiamo andare a prenderlo?, chiede Zachi. Lo bacerei quando fa cosí...

No, non possiamo. Perché lo abbiamo adottato a distanza, dicono i miei.

Guardo meglio il certificato... È una finta pergamena giallina bordata con un ghirigoro dorato. In mezzo c'è la tua foto e sotto il tuo nome: Raimond. E sotto ancora, il mio: Guglielmo.

Nella foto stai correndo, e sembra che di colpo ti volti a guardarmi. Hai il muso tutto girato all'indietro, e gli occhi in primo piano. Hai dei bellissimi occhi, sai?

E cosí ti ho raccontato tutto.

A presto,

Tuo Guglielmo Strossi

Capitolo 10

in cui Raimond si presenta (era ora)

Cosí, io adesso sono un asino adottato. Buonanotte. Randagio, inutile e adottato. Anzi, no: sono un asino greco, vecchio, inutile, non piú randagio, e adottato.

Una presentazione come si deve, come vuole la Garulla: sono un asino greco, color asino, altezza media, pancia bassa, schiena curva, occhi non so, età tre quarti, ex isolano, ex randagio, inutile, adottato.

Ecco.

Una gran fortuna, no?

Comunque qui c'è gente che si prende cura di me. Al mattino e alla sera passano gli inservienti. Valer, che ha un ciuffo nero sugli occhi e mi striglia con lo spazzolone ispido che piace a me, quello che gratta bene il pelo. E Alis, una biondina che gli fa da aiutante, controlla che l'acqua scorra negli abbeveratoi, rastrella le foglie secche intorno, mi mette la biada fresca.

Abitiamo tutti insieme, noi asini, in quelle casupole bianche col tettuccio rosso che avevo visto da lontano il primo giorno, e mi sembravano un paese, il paese degli asini. Be', era vero.

Valer si è occupato subito di me. Mi ricordo la prima sera che ero sperso, mi chiedevo dove avrei dormito. Res non mi diceva niente, a un certo punto se n'è andato dentro la sua Biblioteca e buonanotte. Io ero rimasto fuori all'aria come un baccalà, ormai era scuro. Poi per fortuna vedo arrivare questo ragazzetto dinoccolato con il ciuffo, mi mette le briglie, mi porta verso le casupole. E allora capisco che una di quelle è destinata a me. Valer mi mostra il vialetto d'ingresso, la cassetta della posta, l'abbeveratoio in pietra lungo il muro, e anche una targhetta dove c'è scritto Raimond. Ma come lo sapevano che arrivavo?

Da allora Valer viene ogni sera, mi sistema un po', mi spazzola, mi controlla gli zoccoli e se sono da raspare chiama Fergus, il vecchio maniscalco, e quando mi lascia mi augura sempre la buonanotte. Io lo sto a guardare dalla finestrella mentre si allontana, e qualche volta vedo che Alis è lí fuori che lo aspetta. Gironzola, rastrella foglie, ma è chiaro che lo aspetta. Infatti Valer le va incontro e, secondo me con la scusa che la discesa è impervia e bisogna stare attenti a dove mettere i piedi, le prende sempre la mano. Lo vedo proprio bene distinto, che le prende la mano. Chissà se metteranno su famiglia.

Ma questo non c'entra niente, è solo un pensiero che mi viene quando li vedo allontanarsi insieme, quei due ragazzi.

Ci ho messo un po' a capire. All'inizio mi chiedevo: ma cosa ci fanno in questo posto tutti questi asini? Poi ho fatto due chiacchiere in giro, ho conosciuto un sacco di gente come me, e ho capito: qui siamo tutti vecchi. Andati. Finiti. Asini in fine carriera, ci chiamano cosí. Quando me l'hanno detto, mi son messo a ridere: ma quale carriera? Io non ho fatto nessuna carriera, quindi non posso finirla, chiaro? Mi hanno guardato storto:

– Carriera lavorativa, sveglia! Tu non lavoravi?

Certo che lavoravo. Accidenti...

Arriviamo qui da tutta Europa, e abbiamo storie quasi identiche: ci raccattano per strada quando diventiamo randagi, cioè dopo che ci hanno sbattuti via perché non serviamo piú a niente. Arriva qualcuno che ci prende e ci porta in salvo in un posto come questo.

Posti salva-asini, asili per vecchi pensionati, con gli inservienti, le casupole, la biada fresca. Tutti gentili, premurosi. Ci lasciano vivere, girare, pascolare... Gentili, no? E qualcuno di noi viene pure adottato.

Comunque c'è gente qui che ha delle storie... Gregori, per esempio, un marcantonio d'asino marrone che trasportava tronchi, Foresta Nera, una cosa seria. Gli cade addosso un albero appena tagliato ed è la fine. Gli amputano il piede con un ferro caldo, e lo mollano. Ormai è da buttare, chi lo vuole un asino conciato cosí? Lo abbandonano nella foresta, una notte. Niente da mangiare, nessun riparo. È inverno. Non può piú camminare. Trema. Gli viene la febbre. Lo trovano per caso e lo portano a Variponti. Qui sta bene. Zoppica. Zoppica secco, ma nessuno ci fa caso. Qui ti tengono come sei.

Il mondo ragiona cosí: la roba che non serve si butta. Mi han detto che in certi posti noi asini ci buttano in mare, se per caso ci capita di vivere dove c'è il mare. Se no ci portano al macello, ci vendono per far fettine di carne. Burro e salvia pare sia speciale. O spezzatino d'asino col sugo e le patate.

Mi viene una tristezza, a volte... Una nebbia intorno che la taglio col coltello. Lo diceva mia madre: Oggi c'è una nebbia che si taglia col coltello. E aggiungeva, ridendo: Come la polenta, Raimond! E io odio la nebbia. La polenta invece no. Cosí penso sempre alla polenta calda quando c'è la nebbia, al coltello che la taglia ancora fumante, a quanto è buona. E mi passa un po'.

Al mattino è bellissimo. Ci svegliamo piú o meno tutti alla stessa ora. Io esco sul mio spiazzo e vedo sbucare gli altri che si affacciano ancora pieni di sonno, e se ne stanno lí, sulla soglia, in piedi, a guardare l'aria. Fanno capolino. Aminta, Raffina, Clotilde, Odoacre, Flip, Zurilla, Gioakino, Osiride, Abele, Barbabietola, Diamante, Nicolao... A me piace da morire guardare gli altri fare capolino, sembra che dicano: Va bene, la giornata è iniziata, ma dateci tempo, noi stiamo ancora un po' sulla porta.

Garibaldi invece non fa capolino. Se ne sta per conto suo, da una parte. Certi giorni non si alza neanche, semisdraiato contro un muro e basta. Muove giusto un'orecchia, come per scacciare mosche. Ma non c'è neanche mezzo insetto. O muove la coda, per farsi vento. Ma se fa già tutto questo freddo... È un asino scontroso, Garibaldi.

Verso le nove del mattino arrivano i primi pullman, le prime auto. I visitatori. Gente che viene qui in gita. La domenica soprattutto, e se c'è il sole non ne parliamo.

Si portano il pranzo al sacco. Se siamo sotto Pasqua, anche le uova sode. Girano, passeggiano tutto il giorno. Comprano cartoline, ricordini. C'è uno spaccio qui vicino, dove Patrizia vende di tutto, per raggranellare soldi per la biada, le medicine, i garzoni che ci puliscono le stalle. Di soldi ne servono, dice.

Le tazze con la nostra foto, le tovagliette di plastica all'americana con stampato su un gruppo di noi che galoppa, i calendari dove a ogni mese c'è un asino che ti guarda: be', vanno a ruba. Anche i calendari dell'avvento: in ogni finestrina uno di noi, bardato da Natale, in slitta con le renne o col cappuccio da Santa Claus e cose cosí.

Per carità, io capisco tutto. Sono anche un po' orgoglioso, delle nostre immaginette. Ma prendiamo il calendario, prendiamo la foto di Damiano che sorride. Ma dài, noi non sorridiamo! Cioè, mica allarghiamo quella sparata di denti da cavallo in bella mostra che sembra una dentiera!

E le magliette col logo? Be', il logo è il muso di un asino stilizzato. Ma stilizzato che sembra un capretto stupido a cui abbiano allungato le orecchie. Anche questa storia che noi asini abbiamo le orecchie lunghe, ma dove ve la siete vista?

Comunque, soprattutto, ci fotografano.

Ci sparano foto a raffica. Sembra che questo sia un posto per fotografare asini, fatto apposta. Passano la giornata. Intere famiglie, con nonna, figli piccoli, figli medi, moglie, amante, cane. Che uno dice: Ma non avete di meglio da fare?

Tutto un clic dietro l'altro. Si allontanano, si avvicinano. S'inginocchiano. Ci prendono da soli, a coppie, a gruppi. Ci fanno anche il filmino, li vedi che ti vengono dietro quatti quatti, un occhio chiuso e l'altro aperto.

Ma cosa ci fotografano a fare, si può sapere? Cos'è, appendono foto d'asini in cucina, in camera da letto? Le vendono?

E se lo facessimo noi a loro, di seguirli tutto il giorno? Di tirargli addosso questi clic?

Capitolo 11

in cui Raimond, davanti alla leggerezza degli aquiloni, parla della sua vita pesante, e alla fine vi descrive le ragazze della merenda

C'è un altopiano qui dietro, dove abitano persone molto quiete, che se ne stanno ferme. Sedute o in piedi. Sferzate da un vento che non molla mai. Ci sono andato qualche tempo fa, con Res, e sono inciampato in una donna china. Guardo meglio: è tutta presa a incollare carta, legare fili, incrociare bacchette. Ha intorno una marea di aquiloni, lí per terra. Cumuli, montagne, aquiloni uno sull'altro impilati a torre.

– Chi sei?

– Margherita.

Avrà una cinquantina d'anni, i capelli lunghi mori tenuti con un fiore di stoffa. Le chiedo se li ha costruiti lei, tutti quegli aquiloni, e cosa se ne fa.

Mi dice che li ha costruiti per farli volare, e adesso loro aspettano di volare.

– Oppure aspettano non so cos'altro, – dice, – comunque aspettano, hanno proprio l'aria di star lí ad aspettare, non trovi?

Quando arriva un colpo di vento piú forte, i primi aquiloni della pila si sollevano leggermente, sembra che vogliano spiccare il volo da soli, poi invece si mettono di nuovo giú, buoni e piatti come gli altri.

– Ma perché non li fai volare tu? – le chiedo. Sull'isola la gente li faceva volare, gli aquiloni, non aspettava che volassero loro.

– Vedremo... – mi risponde.

Res poi mi spiega che sono tutti cosí, i costruttori di

aquiloni, e non c'è niente da fare: costruiscono e impilano, impilano e costruiscono, e basta, finisce lí.

Li guardo. Sembra un lavoro facile, ma non lo è. La carta è cosí leggera che basta un niente e si può rompere, e le bacchette dell'intelaiatura sono cosí sottili che ti si spezzano in due, e allora bisogna rifare tutto. Il movimento delle loro mani mi incanta.

– Ti piacerebbe imparare? – mi chiede Res. Non gli sfugge niente, mi tallona come un segugio. Sí, forse mi piacerebbe ma non glielo dico.

Quella notte resto sveglio, dormo a pezzi. Ho un pensiero che fa male. E quel pensiero è la mia vita sull'isola, ecco cos'è: un pensiero in contrasto con gli aquiloni. I pesi che portavo su e giú per le stradine. Come mi piaceva, quanto mi sentivo a posto... Mi addormentavo stanco morto, e quanto era bello essere stanchi, sentire gli arti che fanno male. Ti sembra d'aver fatto il tuo dovere, sai che qualcuno da qualche parte è contento di te, non sai dove ma sai che è cosí. Ero uno che aveva un posto nella vita. E invece qui al massimo potrei costruire un aquilone. Ma cosa c'entra con la mia vita?

Sono nato per portare pesi.

Inutile che adesso ve la racconti in lungo e in largo, è tutto qui: io sono uno che porta pesi, nella vita. L'ho capito fin da subito, da piccolo, e mi piaceva da morire. Era il gusto di fare esattamente la cosa per cui mi sentivo nato, ecco cos'era, poche storie. Uno lo sente, se ci è nato. E quando lo sente è bellissimo. Anche se le giunture scricchiano, il respiro manca... E adesso che mi hanno tolto quel piacere, questo è il problema... Se ti tolgono il piacere di fare il tuo lavoro, di sentirti utile, cosa fai? Niente. E se non fai niente, ti senti niente. E ti cominciano i pensieri. È pazzesca questa storia dei pensieri. Diventi pensieroso.

A me non era mai successo. Adesso invece ho questo mucchio di pensieri sempre in testa. Mi arrivano cosí, senza che io decida, tac! Stormi di pensieri. Gabbiani, avete presente, quando qualcuno sbocconcella del pane e glielo getta, visto mai come accorrono i gabbiani? Volteggiano per aria con quelle ali che non sai, non capisci se le stanno usando per volare o per frenare o cosa. Le zampe già posizionate avanti per atterrare. E invece non atterrano. Come diavolo fanno, a star lí per aria fermi e a non cadere?

Vivevamo, prima. Avevamo una vita, con dentro un ordine, cose da fare, posti dove andare, persone da aiutare. Un ordine, un senso! Avevamo anche orari, pause, capi. Sembra brutto detto cosí, invece può anche essere bellissimo avere un capo che ti dice cosa fare; la fai pure volentieri, quella cosa che un altro vuole che tu faccia.

Fino a poco tempo fa caricavamo assi, mattoni, pietre. Costruivamo case, portavamo valigie... E adesso solo pensieri e buonanotte. Ci siamo messi seduti, a pensare. Siamo diventati di colpo pesanti e seduti.

Cioè, un momento, non seduti per davvero... Io per esempio non mi sono mai seduto. Mai! Solo quella volta... Solo quella volta che mi hanno detto: Agata è caduta. Caduta! Chi ci credeva? Arrivano di corsa, mi urlano: Presto, vieni a vedere! Be', non ci sono andato a vedere, non ce la facevo, mi si piegavano le ginocchia. Allora quella volta sí, mi sono seduto. Cioè, mi sono abbattuto a terra. Mi mancavano le ossa, non mi reggevano, sono letteralmente stramazzato, non riuscivo a muovermi. Volevo, sí, volevo andare a vedere... Ma non l'ho fatto.

Per il resto no, non mi sono mai seduto, io. Non siamo noi, sono gli altri, che un bel giorno ci mettono seduti. E a noi vengono i pensieri, tutti insieme.

Il pensiero di Agata, per esempio.

E anche questo *pensiero sui pensieri*, chiamiamolo cosí, questo pensiero di quando ci arrivano i pensieri, di colpo, nella vita.

Altro che aquiloni.

Sapete cos'è? Che in famiglia lavoravano tutti: mia madre, mio padre, mio fratello Piter e mia sorella Albinia.

Non importava che fosse la piú giovane, e femmina; aveva una corporatura forte, e andava bene uguale.

Lavoravamo nel settore edilizio perché c'era bisogno, erano ancora gli anni del boom. Era scoppiato il turismo di massa, tutti che andavano in vacanza. C'era bisogno di posti adatti, attrezzati. In dieci anni abbiamo costruito un intero paese, di quei paesi che si chiamano villaggi turistici e dove trovi tutto: la camera da letto, il terrazzino vista mare, l'edicola, il parrucchiere. Abbiamo costruito strade, case, supermercati.

C'è di che andar fieri. Costruire, già solo il verbo... Essere uno che nella vita costruisce... Prima non c'era niente, e poi tutta una casa che arriva fino al cielo, e contiene gente, bambini, gatti, zii a cena, credenze, frigoriferi, statuette di porcellana...

Noi, per carità, portavamo solo i pesi. Mia madre me lo diceva sempre: Raimond, ognuno fa quello per cui è portato. E noi siamo portati per portare... Fa un po' ridere, lo so.

Ci caricavano addosso di tutto: anche massi grossi e squadrati o pietroni informi cosí come venivano giú dalle scarpate. Noi portavamo su, senza fiatare. A volte facevamo anche le gare a chi arrivava primo, era divertente. Certo con le travi lunghe meno. A ogni curva dovevi far attenzione a non sbattere contro i muri o a non tirar giú qualcuno, che poi lo sentivi, Rocco!

Rocco era il caposquadra. Eravamo divisi in squadre, e a noi era toccato lui, un ragazzone con la barba nera che fumava e bestemmiava tutto il giorno. Ma non era cattivo. Ad altri era andata peggio, quelli per esempio a cui era toccato Vincesmarro, o Capilac, o Marchés, giganti sempre ubriachi che vivevano con il bastone alla cintola e a ogni passo tiravano giú mazzate non importa a chi.

A me piaceva da morire fare quella vita. Soprattutto quando arrivavi in cima e scaricavi. Ti veniva tolto tutto di dosso e di colpo ti sentivi leggero che ti sembrava di volare. Un asino che vola... Fa ridere, lo so.

C'era il vento, in cima. Vedevi le nuvole che quasi le toccavi, di gommapiuma come i materassi del campeggio. A volte mi veniva da vedermi appeso a una nube, che mi portava a destra e a manca in mezzo all'aria. Planavo sul mare fino a toccare le onde, a prendermi gli spruzzi. Poi salivo fino al sole e di nuovo giú, in picchiata. Imitavamo i gabbiani, la nuvola ed io, quando si tuffano a beccare il pesce e poi risalgono con la preda nel becco che si divincola.

Erano solo fantasie, okay. Duravano anche poco, perché poi toccava ridiscendere al porto, okay. Però esistevano, quelle fantasie, erano dentro la mia testa.

Poi è successo che mi facevano male queste benedette ginocchia. Non di colpo, ci è voluto tempo.

E comunque, era soprattutto di notte. Tanto che io non ero preoccupato: ho male solo di notte, di giorno posso lavorare come sempre, che sarà mai? Ero tranquillo. Cioè, di giorno secondo me non si vedeva, andavo su abbastanza come prima, portavo i miei bravi pesi, tutto uguale.

Invece no, se ne sono accorti. Accidenti, non so da cosa se ne sono accorti. Un giorno ho sentito Rocco che diceva: Questo qui lo spostiamo. Forse ci mettevo piú tempo a salire, forse facevo un giro o due in meno al giorno... Non me lo aspettavo da Rocco. Ci sono rimasto di sale.

Ho lavorato anni nell'edilizia, non so quanti. E poi un bel giorno mi hanno spostato. Servizio turistico-portuale. Per carità, un settore molto importante sull'isola.

Una delle piú belle isole del Mediterraneo, la mia, piccola, rocciosa, anche un po' ostile, senza una spiaggia comoda, la sabbia morbida, niente... Tutto scosceso, ripido, franoso, impervio, ma credetemi ragazzi, di una bellezza da rimanerci senza fiato. Una perla in mezzo al mare, irraggiungibile...

Ma la gente proprio questo s'era messa a fare: raggiungere i posti irraggiungibili. Piú il viaggio era lungo e complicato, piú gli piaceva. I traghetti per esempio erano grossi grattacieli coricati in orizzontale. Dei bestioni galleggianti fatti a buchi, ogni buco una cabina. Dentro quei buchi gli uomini diventavano turisti. Pensavo che uno ci nascesse, turista. Come si nasce calvi, o formiche. Poi ho capito che no.

Sbarcavano stracarichi di mercanzia, valigie, masserizie. Una roba da non credere. E noi lí, pronti. Per fortuna! Eravamo lí apposta...

Funzionava cosí, il servizio turistico-portuale: i capisquadra ci portavano sul molo una mezz'oretta prima, noi aspettavamo buoni l'arrivo del traghetto, e a mano a mano che i turisti sbarcavano ci prendevamo sulla groppa i loro pesi: valigie, trolley, bambini, gatti, sdraio, tende, ombrelloni, cani, bombole, passeggini, gommoni gonfiabili... Di tutto. Una volta è arrivata una famiglia con una scimmia in gabbia, la gabbia aveva persino le ruote, tanto era grande. Per tutta la salita ho pregato che non uscisse, quello stupido gorilla nano. Una volta caricati, andavamo su. Era il nostro lavoro. Sulle isole è cosí: che il porto è sempre in basso e il paese è sempre in alto, non ci sono santi. I turisti arrivano e non hanno voglia di portar pesi; vengono in vacanza per far vacanza, sbarcano, vogliono solo raggiungere il bed and breakfast, l'hotel, il campeggio. Mica si possono trascinare i bagagli per i viottoli sassosi e scoscesi. Ci siamo noi. Siamo fatti apposta. Ci pensiamo noi, a portare su i pesi, ci mancherebbe.

Comunque, lí al porto era un lavoro piú leggero. Forse Rocco aveva fatto bene a spostarmi. Vuoi mettere portar quattro bagagli, invece che sacchi di cemento, mattoni e travi? Non c'è paragone. E alla fin fine mi piaceva anche, quel lavoro. D'accordo, non costruivo nulla, però ero utile lo stesso. Mi sentivo parte, come dire, dell'universo. Sei una ruota dell'ingranaggio: ti sembra che se non ci sei tu, pur nel tuo piccolo, nel tuo piccolissimo d'accordo!, lo strabiliante meccanismo prima o poi s'incepperà.

L'unica cosa era il mangiare e bere. Quello poco. Ma solo perché ai turisti dà fastidio. Non gli dà fastidio che mangiamo e beviamo, questo no, gli va bene. C'è solo il problema della cacca...

Vi ricordate che vi avevo detto che vi parlavo della cacca giú da noi sull'isola, e poi non avevo avuto voglia di raccontarvi piú niente? Be', era questo. Che i turisti, poveretti, non vogliono trovare la nostra cacca e pipí per strada, quando se ne vanno in giro a fare il bagno o a prendersi un aperitivo al porto. E li si può anche capire, son lí in vacanza, non è bello incontrare tutta quella merda, scusate la parola.

Comunque la soluzione c'era, per fortuna: darci poco da mangiare e bere. Semplice. Non pochissimo, se no rischiavamo di morire. Però poco. Due mestoli d'acqua al giorno e mezzo secchio di biada. Funzionava. Io per esempio, per quel che mi ricordo, riuscivo a fare la cacca solo una volta ogni tre, quattro giorni, non di piú. La pipí invece, per quanto mi tenessi, la facevo piú spesso, metti due volte al giorno. Notte compresa.

Comunque, era bello. O almeno, a me piaceva. Agli altri non so.

Era bello ogni volta che arrivavi su e ti godevi il panorama. Facevamo l'ultimo tornante e ci fermavamo a guardare insieme ai turisti le meraviglie dell'isola dall'alto. Certo, noi eravamo un po' provati. Ma ci ripagava quella loro felicità, gli urletti, gli *oh* di meraviglia, la soddisfazione di certi uomini che facevano i duri ma tu lo vedevi che sotto sotto sorridevano, uomini grossi e panzuti, anche, abituati solo a comandare, magari, eppure lí dall'alto, vicino a noi asini, se ne stavano come bambini, davanti a quelle baie, a quegli scogli...

Adesso la capite la fatica che faccio qui, a girare con i gironzolanti dello sperdimento, o a occupare panchine insieme agli occupatori di panchine? Lo so che sono vecchio e non servo piú a niente. Ma come si fa?

Per carità, non mi voglio lamentare. Ci sono momenti molto belli, qui. Per esempio quando a un certo punto della giornata, direi verso le quattro del pomeriggio, arrivano le ragazze della merenda.

Vedeste che cos'è quest'ora della merenda, e cosa sono le ragazze! Basterebbero loro, che arrivano di colpo e tu neanche te ne accorgi. Avanzano, come un vento. Tu sei lí che fai altro, passeggi, pensi, raccogli sassi, scavi buche, le ricopri. E a un certo punto te le ritrovi tutt'intorno che ti avvolgono, e te le senti addosso come l'aria. Volteggiano sul prato con le loro ceste in bilico sulla testa, le gonne a volant, i capelli lunghi sulle spalle. E distribuiscono a tutti pane e pere.

Pane e pere!

Mia madre mi dava sempre la merenda. Mi diceva: Cosí ti svari un po', Raimond. O anche: Vai a svariarti un po'! Usava questo verbo incredibile, *svariarsi*. Quando mi vedeva solo, o stanco per il lavoro. Vuol dire divertirsi. Ma anche qualcos'altro, piú aereo secondo me, non vi pare? *Vai a svariarti un po'*... Non so se le altre madri lo dicono, ai loro figli. La mia sí. Le madri dovrebbero essere tutte come la mia, secondo me.

Finita la merenda, passo sempre un po' di tempo lí intorno a passeggiare, cercare pinoli sotto i pini, annusare una pietra.

Faccio esercizio d'inutilità, come dice il libro.

A volte inseguo le foglie morte, o i piccoli conigli bianchi delle nevi.

Capitolo 12

in cui Raimond racconta a Garibaldi la sua infanzia e giovinezza, per esempio di quando si è innamorato di Agata, e poi descrive come la pancia gli è diventata penzola e la schiena concava

Adesso però vorrei parlarvi di Garibaldi, di come siamo diventati amici.

Res me l'aveva detto subito di non dargli retta. Ma io sono fatto cosí: se vedo uno in disparte, gli vado vicino. Quindi mi sono sentito inspiegabilmente attratto da quell'asino scorbutico.

– Garibaldi! – l'ho chiamato un giorno.

Niente.

– Garibaldi!

Non rispondeva. Lo chiamavo da lontano, ogni volta che lo vedevo seduto nel suo angolo, corrucciato. Fermo. L'ho fatto per giorni e giorni, senza risultato. Di solito muoveva l'orecchia, ritmico.

Un giorno decido. Lo raggiungo, mi metto seduto accanto. Strappo un filo d'erba e me lo mastico. Ne strappo un altro e lo offro a lui, che non si volta neanche.

– Ho ventiquattro anni, – gli dico. – E tu?

Zitto.

– Guarda! – e gli mostro una foto con la mia famiglia al completo davanti al mare: Agata, e i piccoli Susanna e Spinnaker.

Garibaldi non guarda. Muove l'orecchia, a scacciare l'insetto che non c'è. E allora gli racconto la mia vita. Un pezzo della mia vita, almeno. Non so perché. È evidente che quell'asino non vuole diventarmi amico. Ma ha un mistero, un segreto, qualcosa che lo tormenta. Per questo decido di raccontargli di me: per togliergli quel peso, perché a volte se racconti la tua storia a un altro, gli togli i suoi, di pesi, va' a sapere come mai.

Gli dico che sono un asino isolano. Cosí, per farlo ridere. A me fa ridere la parola *isolano*.

Gli dico anche che da piccolo giocavo poco, che assomiglio abbastanza a lui, mi sa. Sono timido, introverso. Forse sono timido perché sono introverso. Ci vorrebbe la psicologa, dico. La onopsicologa... La ono-psico-veterinaria... La psico-ono-vetero...

Cerco ancora di farlo ridere.

Non ride.

Gli parlo di mia sorella Albinia e di mio fratello Piter, di quando eravamo piccoli e loro mi tiravano calci per smuovermi la timidezza, e io certe volte li assecondavo perché non mi piaceva poi cosí tanto stare solo. Ma certe volte no, non li assecondavo per niente, perché mi piaceva molto anche starmene per conto mio. Non ci trovavo nulla di male. E infatti, me ne stavo tranquillo in un mio angolo.

Piú tardi, invece, ho preso a seguirli. Stavo con loro, andavo dove andavano loro. L'adolescenza è cosí. Si sta con gli altri, anche se non se ne ha tutta quella voglia. E si va tantissimo in giro, anche a far niente. Siamo torbidi e curiosi, da adolescenti. Cosí andavo spesso in piazza la notte a far baldoria. Seguivo mio fratello e mia sorella, e tutta la banda dei coetanei che si riunivano la notte e facevano i giri. I giri erano andare alla fontana, a metà costa, che era il punto di ritrovo, e poi scaraventarsi giú per le discese, facendo rotolare pietre. Il gioco era chi aveva piú coraggio, chi sceglieva il percorso piú impervio, e quindi faceva cadere piú pietre. Senza cadere lui, naturalmente.

Una volta, per fare un po' il gradasso, faccio cadere un pietrone enorme di sotto, che va a finire dritto sulla zampa di un cane legato alla catena in un cortile. E sfortuna vuole che quello sia il cane del vecchio Mas che è il piú violento dell'isola e infatti esce in mutande e canottiera, sbraita, impreca col bastone per aria, chiama la moglie, i figli che, anche loro con i bastoni, cominciano a inseguirci. Prendono Karl, il piú pesante e vecchio, lo bastonano. Non me lo perdonerò mai, e non ci vado piú col branco la notte alla fontana.

A un certo punto i nostri genitori muoiono. Sono vecchi, e quindi muoiono. Nostro padre Demetrio, poi, era vecchissimo, forse l'asino piú vecchio dell'isola. Aspetta che nostra madre muoia, e muore anche lui. Un mese dopo, o due. Lo so che è naturale. È, come si suol dire, nell'ordine delle cose. Ma a me non piace l'ordine delle cose, novanta su cento mi dà sui nervi. Quindi lasciamo perdere.

E Karl, insieme a tutti gli asini piú vecchi e malandati, viene mandato via. Anche questa, lo so, è un'altra cosa naturale.

Io invece continuo a lavorare. Sono uno degli asini piú forti. Sono cosí forte che un giorno Rocco mi carica sulla groppa una piccola betoniera, assicurandomela alla pancia con le cinghie. E io zitto e buono, vado su, vado giú.

Lo faccio per anni, quell'andar su e giú. E senza lamentarmi. Sono uno che accetta la sua sorte e non sta a guardare quella degli altri. Mi manca l'invidia sociale, si dice cosí? Penso: io sono nato per portare pesi, gli altri nascano quel che gli pare, va bene cosí. E tiro avanti.

E intanto incontro un'asina giovane e ribelle che mi piace un sacco. Una che non fa mai quello che deve. Disobbediente. Anche vanitosa. Va sempre alla fontana, per esempio, e si specchia. Prende per una stradina dirupata e scappa, trotterella. Non si deve andare alla fontana, è proibito. E lei niente, trotterella. Hai presente, Garibaldi, quando le asine giovani trotterellano?

E poi, sai cosa? Non vuole che gli altri bevano alla fontana. Nessuno deve bere, neanche avvicinarsi, se no si guasta lo specchio, l'acqua si fa mossa e non riflette piú.

Comunque, potremmo anche dirla in un altro modo: che era un po' prepotente e bizzosa, quando ragliava per cacciare via tutti. Va bene, e allora? Io ero lí che saltavo staccionate, prendevo a calci i rovi; insomma, ero in una fase della vita che galoppavo a vuoto. E la incontro! Un giorno che vado alla fontana, la incontro. Mi è sembrata cosí chiara, in tutti i sensi...! Di un colore fresco, quasi bianco. E aveva un manto di velluto. Sembrava una pesca. Una pesca di asina. La guardavo, passavo ore a guardarla. Mi capisci, Garibaldi? Cercavo sempre di essere lí alla fontana quando arrivava lei. Ma non mi avvicinavo all'acqua, ci mancherebbe. Non ci pensavo neanche a bere.

Mi tenevo lí addossato alla roccia, in disparte. Lei si specchiava, e io la guardavo. E forse è cosí che si è innamorata di me, specchiandosi... Ogni tanto mi accorgevo che mi guardava di sottecchi. Mentre chinava il muso a bere, rivoltava gli occhi indietro, senza farsi notare. Ma io la vedevo. E la volevo per me, mi vellutava la vita il solo pensiero.

E un giorno me la prendo, le dico che mi manca anche quando mi è vicina perché penso sempre che il momento dopo magari si allontana, e io non ci voglio stare cosí nella vita, sempre sul chi va là... Lei abbassa il muso, scalpiccia un po' con lo zoccolo e, insomma, cosa fatta capo ha.

Facciamo due figli, adesso sono grandi. Sono quelli che ti ho mostrato in foto...

Poi con gli anni comincio a indebolirmi. È il tempo, la vita quando passa. Succede a tutti, anche questa è una cosa che so, un'altra delle cose *naturali*. Infatti non mi piace. A volte mi cedono le ginocchia e rischio di capitombolare da un'altura, rovesciando a valle tutto il carico. A quel punto dico: Ho una certa età. Oppure anche: Mi è venuta una certa età. Come se fosse una malattia.

E Rocco mi manda a chiamare e mi dice: Non sei piú buono a far niente qui, ti devo spostare. Ci sto male. Speravo di salvarmi, chi lo sa, di essere l'unico asino che non viene spostato. Speravo che sarebbe venuto qualcuno a sottrarmi al mio destino. Che salame! Non ero diverso dagli altri. Va bene lo stesso, dài... Sono nato per portare pesi. Non è una brutta vita. Neanche bella. Comunque è la mia vita.

Solo che con gli anni la schiena mi s'incurva, questo sí. Diventa un avvallamento tra due montagne, e la pancia mi scende a toccar terra che pare un sacco di patate penzolo. Lo vedi, no? Era un po' inevitabile, diciamolo. Tutti quei passeggini, biciclette, gommoni, gabbie per criceti, pentole, lenzuola, cassette d'acqua minerale... Ma va bene lo stesso. La pancia ha qualche colpa? No, lei non è altro che una conseguenza della schiena: se la schiena s'avvalla, ovvio che la pancia s'incurva. È un po' come quella famosa legge di chimica. No, di biologia. Insomma, che nulla si crea e nulla si distrugge. Ah ah... Ti fa un po' ridere? Comunque, dài, sono un bell'asino lo stesso, color asino perfetto...

Ma non è finita. Una brutta sera torna Rocco. È quasi notte, sto riposando nel capanno con gli altri. Tutti dormono, io no, io guardo le prime stelle che s'affacciano ad annunciar la notte. Mi viene sempre una strana malinconia a quell'ora, penso alla vita che se n'è andata e io forse non l'ho presa. Non l'ho presa abbastanza. Mi pare di aver lasciato qualcosa d'incompiuto, ma non so bene che cosa. Non so come spiegarti, Garibaldi... C'è quella poesia di Pascoli che dice: *La parte, sí piccola, i nidi nel giorno non l'ebbero intera. Né io... e che voli, che gridi, mia limpida sera.* Ecco, un po' cosí. E poi passa il camion blu, fine, ci portano via dall'isola. Veniamo scaricati, abbandonati come sacchi d'immondizia. È la legge della pancia penzola, non c'è santi: quando vedono che la pancia ti tocca terra, è il segno, sei finito.

Io prendo una strada a caso. A sinistra. Cammino cammino. Passo il tempo a camminare. Divento un asino randagio. L'avevo sentito dire, ma credevo che succedesse solo agli altri. Guarda un po' com'ero stupido! Dopo aver lavorato tutta la vita... Possibile? Possibile che la vita fosse già passata? Che io non me ne fossi accorto?

E poi incontro il libro. E poi incontro te, e il resto lo sai. E io adesso ti ho raccontato tutto, ma tu non dici niente. Tu non mi dici mai niente. Okay, pazienza.

E invece, gente, sapete poi cosa succede? Che Garibaldi parla.

– Ti chiamerò Rai, – mi dice.

Mi dice solo questo.

A voi sembrerà poco.

A me no.

Capitolo 13

in cui lo scontroso asino Garibaldi racconta
a Raimond la sua storia,
da cui si capisce perché è scontroso

E insomma il giorno dopo Garibaldi mi propone di andare a fare due passi insieme e mi racconta la sua, di storia. Lui a me! Lo sapevo che raccontare è contagioso.

Sentite qua. Garibaldi è scappato dal macello, è qui solo da un mese. È stato preso una notte e buttato anche lui su un camion, insieme ad altri. Li hanno portati in un posto grande e ghiacciato, col pavimento chiazzato di sangue. Lui lo sapeva cos'era. Tutti gli animali lo sanno cosa gli succede, lo sentono. C'è l'odore del sangue, nell'aria, in quel posto. Le urla, il freddo. Gli animali non dicono niente, come possono? Guardano, spalancano quei loro occhi inutili.

Quella notte sono in fila, al buio. Uno dopo l'altro. Se non si muovono li pungono con certi aghi che danno la scossa, e allora gli si piegano le ginocchia, iniziano a tremare. Si apre un cancelletto basso e il primo di loro entra in uno stanzino microscopico dove le due pareti gli toccano i fianchi, non c'è lo spazio nemmeno per respirare. Non gli serve piú respirare, tanto. Il pavimento ondeggia. È un pavimento basculante. Gli sparano. Un colpo secco in mezzo alla testa. Quello dietro vede. Vede il pavimento che si apre, la carcassa dell'animale che cade, il pavimento che si richiude, di nuovo sgombro, ripulito. Tocca a lui. Si riapre il cancelletto, le pareti umide di ferro toccano i suoi fianchi, la pistola sulla testa, un colpo solo, netto. Tocca a un altro.

Poi a lui, a Garibaldi. È lí. È lí che scalpita. Ha il cuore che gli batte sulle tempie, gli viene da spaccare, travolgere, annientare tutto. È una furia, assalta, morde.

– Tu lo sai come macellano un asino?

No, io non lo so. Ascolto Garibaldi che racconta. Un attimo prima che la pistola gli sfiori il cervello prova a scappare. Arretra, prende la rincorsa rinculando, e spezza la catena, sferra calci, tira giú tutto quel che si trova sul cammino, travolge uomini, cose. È una tale forza imprevista che nessuno riesce a placarla.

Ma si fa male, in quella corsa. Gli rotola addosso un piano di marmo. Da allora ha questa ferita, la spalla un po' incavata. Non importa.

Anche lui ha ventiquattro anni, la mia stessa età. Asini coetanei, un po' vecchi per il mondo.

Capitolo 14

in cui Raimond vi legge tre lettere di Guglielmo

15 gennaio 2014

Senti, Raimond,
facciamo che te lo dico subito, che problema ho, cosí tu lo sai e andiamo avanti: sono timido. Ho la timidezza, come problema.

Mio padre me lo dice sempre, e anche un po' mia madre, ma meno. Mio padre quasi tutti i giorni. E contando che ho undici anni, vedi tu da quanto tempo me lo sento dire... Non ne posso piú. Anche perché lui me lo dice male. Me lo sbatte in faccia come uno schiaffo. Allora lo guardo a muso duro, in modo che non si veda che mi fa male.

Ma mi fa male, a te lo posso dire. Mi fa un male cane. Anche perché, va bene, sono timido, e allora? Come se ne esce? Non so, dammi una cura, fai qualcosa...! Invece lui non fa niente, me lo dice solo. E si arrabbia. Mio padre, che sono timido, è una cosa che lo manda in bestia.

Dice che sono cosí timido che non so vivere, non so stare al mondo e chissà come farò da grande, il mondo mi farà a fettine.

Ma si può sapere come bisogna stare al mondo? E che cos'ha questo benedetto mondo, gli artigli? E perché ce l'ha già con me, cosa gli ho fatto io? Possibile che non ci si possa mettere d'accordo?

A presto,

Tuo Guglielmo Strossi

15 gennaio 2014

Caro Raimond,

volevo ancora dirti una cosa importante di mio padre. Cosí te l'ho detta e non ci pensiamo piú. Mio padre è un uomo bruno. Fa ombra. Fa un'ombra bestiale quando arriva. Lui arriva e mi si mette dietro, alle spalle. Qualsiasi cosa io faccia, i compiti, colazione con le brioche nel latte, che guardi i cartoni o mi lavi i denti. Lui arriva, mi si mette dietro e mi fa ombra. Come un albero. Forse perché è alto e grosso. Io sento subito quest'ombra che mi cala addosso. È un omone, mio padre. Io invece sono basso. Ho preso da mia madre, solo che lei è molto magra, ha persino le ossa che le spuntano. È bassa e magra, con i capelli cortissimi e gli occhiali rotondi colorati.

Mio padre non mi vuole bene. Non mi vuole, per essere piú precisi. Non gli sto troppo simpatico. Ci ho pensato su a lungo, una decina di anni. Quindi è una specie di conclusione a cui sono arrivato. Mi dispiace tanto. Ma comunque anch'io non voglio lui. Non voglio un padre cosí bruno che mi fa diventare buio.

Mi controlla, io lo so. Ma cosa controlla? Tanto sono quel che sono, e se non gli piaccio pazienza. Lui non vuole me e io non voglio lui, uno pari.

Tu invece come va con tuo padre?

16 gennaio 2014

Caro Raimond,

ti dico un'altra delle cose che vorrei proprio dirti, adesso che sei il mio asino. Te la dico, cosí mi scarico un po'. Domani ho: due ore di italiano, una di mate, una di ginnastica. La quarta ora, ginnastica, ecco, è questo: io non so fare la pertica. Rimango giú, non salgo. E se salgo di un metro, subito ripiombo a terra. Sento proprio la pertica che mi scivola, e finisco giú.

L'ultima ora sarebbe religione. Ma noi non la facciamo, religione, io e i miei fratelli; perché siamo tutti atei, in famiglia. Anche i nonni, sia paterni che materni, erano già atei. Per esempio si sono sposati in municipio. Tanto a me non importa non fare religione, perché io con Gesú sono già in contatto diretto. Gli parlo. Per esempio in palestra lo riempio di preghiere, gli chiedo se per piacere non mi fa fare troppe brutte figure, e se per piacere i compagni non ridono. Soprattutto Dennis. Dennis Cartozza, il mostro. Uno che spaventerebbe anche Magilla Gorilla, tanto è grosso e cattivo. Uno che, quando scivolo dalla pertica, mi dice: Cos'hai, la calamita nel culo? O mi fa il gesto del salvagente in vita e ballonzola come un cretino. Perché io, intorno alla vita, ho un salame di grasso, ma poco...

Cosí adesso lo sai, che oltre al problema della timidezza ho anche il problema della pertica.

Comunque, se Gesú mi fa salire almeno un po', un metro o due, e mi difende da Dennis, io in cambio non mangio smarties per un mese.

È un fioretto. Me lo ha insegnato suor Mariangela all'asilo. Mai capito perché mi hanno mandato all'asilo dalle suore. Comunque meno male, perché io è da allora che li faccio, i fioretti. Uno ogni tanto, però, perché poi mi stufo a non fare una cosa bella per tanto tempo. Ma domani, nell'ora di mate, prego Gesú e faccio il fioretto degli smarties.

Adesso che ho te, mi è venuto in mente di dirtelo. Cosí se puoi fare qualcosa... invece degli smarties... Grazie!

Tanti cari saluti,

Tuo Guglielmo Strossi

P.S. Nell'altra lettera mi sono dimenticato di firmare. E anche di mandarti i saluti, mi sembra. Scusa. Ci ho pensato dopo.

P.S. numero 2: E comunque, non so se lo hai pensato, ma non è vero: non sono gli smarties che mi fanno ingrassare, è il metabolismo sballato. Me l'ha detto la signora De Cartis, che è amica della farmacista.

Capitolo 15

in cui Raimond scopre che i libri ce l'hanno con Res; per aiutarlo si mette a passeggiare a vuoto e a raccogliere sassi; cosí scopre che il cuore è un triangolo

Res mi faceva una pena. Non sapeva piú cosa tirar fuori per convincermi. Certe sere lo vedevo bighellonare davanti alla mia casupola. Non osava entrare, né chiamarmi. Se ne stava lí fuori, andava su e giú. Certe mattine invece arrivava con la brioche calda. Sa che ne vado matto, specialmente quelle con la marmellata che cola. Mi guardava mangiare. Mi diceva: Lo vedi come si può essere felici di niente?

– Be', una brioche alla marmellata fusa, però, non è proprio niente... – gli rispondevo. Cosí, per scherzare, per tirarlo su.

Lo prendeva come il fallimento della sua vita, questo mio intestardirmi a non diventare un inutile-felice. Io avevo un bel dirgli: E dài, non è colpa tua, è solo che sono un asino! Fossi un criceto, una donnola, chessò... un levriero afgano, sarebbe piú facile, capisci? Il mondo senza noi asini, invece, si fermerebbe. Non c'è storia, Res, con noi non hai speranza!

Dicevo per consolarlo. Ma lui niente.

Anche perché poi la sera tornava a casa, in quella specie di cattedrale-magazzino che lui chiama Biblioteca, e i suoi simili gli si affollavano intorno ansiosi, e gli gettavano addosso una doccia fredda di domande. Una sera passavo di lí e ho sentito i libri parlare forte, come a una specie di assemblea di piazza. Metto l'orecchio, di nascosto, e capisco che ce l'hanno con Res, lo aggrediscono quasi:

Allora, come sta andando?

Ce l'hai fatta?

Ce la stai facendo?
Pensi che ce la farai?
Questo tuo piano, funziona o non funziona?
Questo tuo asino, a che punto è?
Sta capitolando?
È felice?
Lo sta diventando?
Non lo diventerà mai?

Li ho sentiti bene, lo interrogavano senza pietà. E lui si barcamenava, non sapeva cosa dire.

– No, non ce l'ho fatta, – ha ammesso alla fine. Una risposta netta. Ha fegato, questo mio amico libro. Affronta gli scaffali pieni, gli ammassi dei grossi dizionari, le enciclopedie che lo osservano giganti e corrucciate dai loro nascondigli polverosi, e dice: – Ho fallito! Ma...

– Ma? – chiedono i volumi in coro, facendo rimbombare quelle stanze.

– Ma passeremo all'azione.

Ogni tanto fanno morir dal ridere, i libri.

– Finora abbiamo cincischiato, e guarda questo, e osserva quest'altro... Ora basta, ora bisogna agire.

– Certo. Ci vuole il cosiddetto piano b. C'è sempre, nella vita, un piano b.

– Ma in questo caso sarebbe un sottopiano...

– Cioè, c'era un piano unico, che ha fallito. Ora mettiamo in atto il sottopiano, e lo chiamiamo b. Chiaro?

– Chiaro!

Piccoli dialoghi tra libri vicini di scaffale, niente di che.

– Non basta sperare che l'asino prima o poi s'incapricci di una cosa inutile. E se non s'incapriccia mai? Noi cosa facciamo?

– Giusto! Cosa facciamo?

– Semplice, bisogna obbligarlo. Avete capito? Obbligarlo!

– Certo, obbligarlo!

– Cioè?

– Ha detto obbligarlo.
– Vuol dire costringerlo?
– Sí, costringerlo, obbligarlo... Sveglia, sono sinonimi!
– Okay, okay, sono sinonimi, non ti alterare...
Pazzesco un dialogo tra libri, avete idea? Mi divertivo un sacco ad ascoltarli.
– L'amore, quando non viene, bisogna in qualche modo pro-vocarlo, – continua Res.
– Cos'ha detto dell'amore?
– Ma sei sordo? Ha detto che bisogna pro-vocarlo. Provocarlo!
– Ho capito! Pro! Vocarlo! Pro! Vocarlo!

Okay, opponevo resistenza.
Non lo facevo apposta. Dio solo sa quanto avrei voluto rendere felice quel povero libro che ce la metteva tutta a far felice me. Ma non ci riuscivo. Non volevo diventare un varipontino. Ci provavo, arrivavo fino a un certo punto, e poi mi assaliva un languore. Mi dicevo che la mia vita non poteva finir cosí, in nulla. Che avevo ben vissuto per qualcosa.
Per questo ero un osso duro.
Ora però dovevo aiutarlo, il libro. Potevo cominciare a metterci piú forza di volontà, ecco. Guardare qualche volta la luna di notte andava già bene, ma non bastava. Dovevo fare di piú.
Allora mi son messo ad andare molto a passeggio. A fare giri a vuoto, lungofiume, lungomare, lungoboscaglia, lungo tutto quel che capitava sotto tiro, in questo luogo sterminato.
Ho anche capito che passeggiare è molto diverso da camminare. Ho osservato gli altri. I camminatori, per esempio, camminano solo per fare moto. Gli piace allenare le gambe, soprattutto in salita. Assomigliano molto ai ciclisti, che fanno tutti quei chilometri solo per il gusto di provare fatica e sentire il vento sulla pelle. I passeggiatori

invece non si accorgono neanche di andare. Vanno, sí, ma molto piano. E ogni tanto si fermano anche. Sono fissati con i dehors dei bar, per esempio. Stanno lí, prendono un caffè, fumano un sigaro. Non hanno mai fretta. Fermarsi fa parte del passeggiare. Come anche andare indietro, tornare sui propri passi. O andare in circolo, alla maniera dei gatti che si mangiano la coda; e in questo assomigliano moltissimo ai gironzolanti. I passeggiatori macinano passi guardando per aria, e non gli importa proprio se vanno avanti, indietro o in tondo.

Sono molto simili ai tagliatori di meloni, se vogliamo. Prato 187. Cioè, quelli che tagliano meloni tutto il giorno, li fanno a quadrettini uguali e li mettono in frigo. Può sempre capitare che qualcuno passi e chieda del melone fresco a pezzettini. Se qualcuno l'ha preparato, allora il melone c'è. Questo pensiero li mette tranquilli. Res dice che poi stanno meglio.

Ho passeggiato per giorni. E ho anche imparato qualcosa dai raccoglitori di sassi. Cammini piano per la strada e guardi sempre per terra. Quando vedi un sasso che ti piace, lo raccogli e te lo metti nel sacco. Può essere un sasso molto rotondo, o con una venatura speciale, o tutto bianco, rarissimo. Ognuno fa la collezione di sassi che gli pare.

Caterina per esempio, che è una maestra in pensione, raccoglie solo i sassi triangolari. È una cosa difficilissima.

– Anche il cuore è un triangolo, – mi dice un giorno.

Non ci avevo mai pensato che il cuore è un triangolo. Mi piace. Quando mi viene il fiatone e me lo sento battere troppo forte, adesso che me lo vedo meglio mi spavento meno: in fondo, penso, è un triangolo.

Isoscele, secondo me.

Capitolo 16

in cui Raimond vi legge le lettere
in cui Guglielmo gli racconta meglio di Dennis Cartozza,
e anche di sua sorella Benedetta,
che per lui non è benedetta proprio per niente

17 gennaio 2014

Caro Raimond,

vuoi sapere com'è andata? Di schifo! Sono scivolato giú dalla pertica dopo il primo metro. Come al solito. E Dennis Cartozza s'è spanciato urlando che ero uno sfigato, e i compagni tutti a ridere. La Mollini come sempre si faceva i fatti suoi, scriveva sul registro, leggeva una rivista o non so. Se ne sta lí in tuta, ci dice gli esercizi e basta. Qualche volta si fa un giro di corsa insieme a noi, ma come insegnante di ginnastica diciamo che è scarsa.

Poi Dennis Cartozza non so come trova il mio tubetto degli smarties. Magari ce l'avevo in tasca e mi è caduto. E allora li prende a manciate con quelle sue manone da gorilla e si mette a lanciarmeli contro. Ride e mi lancia smarties. E gli altri fanno uguale. Gli altri fanno sempre tutto uguale a lui. Tanto buoni e cari se non c'è Dennis Cartozza, ma se c'è diventano peggio di lui. Come i Transformers che mi compravo da piccolo in cartoleria, che erano dei camion innocui e poi diventavano dei mostri.

Comunque gli altri raccolgono gli smarties già mezzi maciullati e me li lanciano. E non solo, vogliono anche ficcarmeli in bocca e dicono: Mangia mangia... A quel punto arriva la Mollini. A quel punto! Che poi ha un suo modo di arrivare... la vedessi, cammina tutta molle, ficcata dentro quella sua tuta smollacciata. Io non so i cognomi chi se li inventa, ma se li inventa proprio giusti certe volte! Va be', la Mollini arriva e dice a Dennis Cartozza se la smette di far casino. Solo cosí gli dice. Figurati se la smette. Sí, quando si stufa lui, la smette! Ma campa cavallo, intanto io mi prendo addosso di tutto, insulti e smarties. Che, a proposito, non hanno funzionato proprio per niente. Cioè, non ha funzionato il mio fioretto, anzi. La prossima volta mi mangio tutti gli smarties che è meglio.

Ma tu dov'eri, poi? Ti avevo chiesto di aiutarmi. Ma no, scusa... lo so che sei lontano e non puoi fare niente. Però la prossima volta, se te la fai venire, un'idea... Anche da lí dove sei, se ti viene in mente qualcosa è meglio...

Saluti,

Tuo Guglielmo

19 gennaio 2014

Caro Raimond,

anche perché poi nello spogliatoio non è finita. Cominciano con la canzone.

Questo non lo sai perché non te l'ho ancora detto: a scuola mi chiamano Ulligulli. Quelli della banda, Dennis Cartozza e gli altri. Fanno la cantilena tutti in coro, certe volte, che a sentirli fin dal corridoio mi ammazzerei ancora prima di entrare in classe. Ulligulli-Ulligulli-Ulligulli... E cosí l'altro giorno, dopo la pertica. Che poi, scusa, a ginnastica si deve sempre fare questa benedetta pertica? A cosa serve nella vita? Quando ci può servire salire su una pertica? Non so, in quale lavoro?

Comunque io mi chiamo Gulli perché a mia madre piace Gulliver, e voleva chiamarmi come lui. Ecco perché. È colpa mia? Mi ha battezzato Guglielmo perché diventa Gulli, e proprio Gulliver Gulliver non lo poteva scrivere sulla carta d'identità...

Mio padre voleva chiamarmi Stanislao... e si era veramente incaponito, ma poi alla fine ha accettato. Ero già nato, dovevano registrarmi in ospedale, e mio padre ha accettato questo nome troppo normale solo perché ha pensato a Guglielmo I di Scozia detto il Leone. A lui andava bene che suo figlio fosse una specie di leone, almeno nel nome. Cosí mi ha raccontato. E invece, poverino, gli è andata storta, perché io assomiglio di piú a Guglielmo I d'Orange detto il Taciturno. Sempre secondo lui.

Un saluto caro,

Tuo Guglielmo

P.S. Tu però non mi chiamare MAI Gulli, ti prego!

21 gennaio 2014

Caro Raimond,

mio padre come ti ho detto fa lo storico. Il giornalista storico. Cioè, voleva fare lo storico ma ha trovato posto solo al giornale e adesso scrive nella pagina di società e cultura, che di solito è pagina 23.

Per questo non lo vedo mai alla sera, perché al giornale si lavora fino alle undici-mezzanotte. Il giornale bisogna chiuderlo, mi ha spiegato. Se no non esce. Io a quell'ora dormo già perché sono stanco, mi addormento sui libri. Soprattutto i libri di storia. Io odio la storia, e quindi me la lascio sempre per ultima.

Invece su Benedetta non ha avuto nessun dubbio. E l'ha voluta chiamare lui cosí, non mia madre. Quando è nata, dice che l'ha guardata e ha avuto la conferma, ha detto: Eh sí, è proprio benedetta questa bambina!

Lo racconta sempre a mia sorella. Peccato che ci siamo anche noi presenti, quando lo racconta, io e Zachi, dico. Zachi è piccolo e non capisce niente, quindi non conta, ma io conto.

Comunque l'ho anche chiesto in giro, come gli è venuto, a quelli, di chiamarmi Ulligulli. L'ho chiesto a Elisa perché è la prima della classe e sa tutto. E siccome gliel'ho chiesto per scritto su un bigliettino che le ho passato da dietro nell'ora di geo, lei è scoppiata a ridere. La prof l'ha richiamata e io mi sono sentito pure male, ad averla messa nei casini. Ma pazienza.

L'ho capito poi, perché s'è messa a ridere. Tra l'altro, non sai come ride... Ride in quel modo buffo che hanno le prime della classe, hai presente? Si mettono la mano sulla bocca, che si vogliono nascondere ma si vede ancora di piú, che ridono.

L'ho capito quando mi è arrivato il suo bigliettino, e mi diceva che non si scrive Ulligulli attaccato, ma Ulli e poi Gulli, staccato. O con un trattino, se voglio. Ulli-Gulli. E il perché mi ha detto che è quella vecchia canzone di non so chi: *Siamo i Watussi, siamo i Watussi, gli altissimi negri...* Hai presente?

Io le chiedo cosa c'entra, se è impazzita. E allora lei me la canta, mi fa: *Nel continente nero, paraponzi ponzi pa, alle falde del Kilimangiaro, paraponzi ponzi pa, ci sta un popolo di negri che ha inventato tanti balli, il piú famoso è l'Hully-Gully, Hully-Gully, Hully-Gu...*

Ma poi nell'intervallo 'sta salama ne parla con le amiche, e allora vengono in gruppo a menarmela che secondo loro, ci hanno ripensato, è un'altra cosa. Se mi chiamano Ulligulli è colpa di una certa favola che non mi ricordo quale, dove l'Orco cerca i bambini sotto il letto per divorarseli e va in giro per la casa dicendo: Ucci ucci sento odor di cristianucci!

Ma cosa c'entra Ucci ucci con Ulligulli? Primo.

Secondo: ma che razza di favole raccontano alle bambine?

Comunque la canzone non me la fanno solo nello spogliatoio, me la fanno tutte le volte che passo davanti a uno di loro. Ho provato anche a passare dietro ma è peggio, mi vedono lo stesso e allora me la cantano il doppio, perché si arrabbiano che non gli passo davanti e sembra li voglia evitare.

Infatti, io li voglio evitare. Voglio proprio questo, io: evitarli.

E adesso ho finito, ti ho raccontato tutto... Ma a te interessava poi come mi chiamano o non mi chiamano? Ti interessava tutta questa storia degli altissimi negri?

Che poi, credo pure si pronunci Alli-Galli… Ma chi glielo dice, a quelli, che sbagliano la pronuncia?

Saluti,

Tuo Guglielmo Strossi

P.S. Metto troppi puntini. Lo so, me lo dice sempre la Garulla. I puntini di sospensione… hai presente? Ma mi vengono, non ne posso fare a meno. Mi sembra che mi danno tempo, e che le cose siano meno tragiche, piú aperte.

25 gennaio 2014

Caro Raimond,

ma te l'ho detto chi fa parte della banda? Mi sa di no. Mi sa che ti ho detto la banda e basta.

Sono quattro, ma contano solo tre perché il quarto è magro e mingherlo, fa solo finta di essere grosso e cattivo come gli altri tre ma non lo è, si vede lontano un miglio che non lo è. Per esempio gli altri non glielo dicono mai di andare con loro, è lui che li segue e loro lo lasciano fare perché a tutti piace essere seguiti, ma non è che lo vogliono davvero, ne farebbero anche a meno.

Il capo naturalmente è Dennis. Dennis Cartozza, che è della mia classe, per sfortuna. Gli altri no, ma lui sí. Ha la testa quadrata, con gli spigoli. Un cubo. Un dado enorme rapato con la macchinetta. E poi è senza orecchie. Non ha le orecchie, gli spuntano solo due alette, in alto. Due bandierine sventolanti. Il resto si sono dimenticati di farglielo, niente lobo, per dire. Ha solo quelle bandiere in alto, come orecchie. Con dei pallini d'acciaio ficcati dentro, due piercing.

A me non fa paura. Però se posso non mi faccio vedere, sgattaiolo via.

Non so neanche bene dove andare a sgattaiolare, soprattutto a scuola, perché non c'è mai un buco libero. Che bel verbo, sgattaiolare. Sa di gatto che scivola via dalle grinfie di un cane e ce la fa. Perché è un gatto.

A volte, quando esco da scuola, sgattaiolo in qualche negozio, cosí, a caso. Piú sono grandi, meglio è. L'altro giorno sono entrato dal sarto. Lo vedo sempre dalla vetrina, è un uomo con la pancia e il gilet abbottonato sulla pancia, che gli tira. Porta il metro al collo, sai quel metro giallo da sarti... Gli scende sul petto sui due lati, sembra un nastro. Sono entrato e non sapevo cosa dire. Lui, siccome non dicevo niente, mi fa: Buongiorno, desidera qualcosa? Mi ha trattato da normale cliente, ovvio. Ma io non sapevo cosa inventarmi, perché non ero un normale cliente. Cosí ho salutato e sono uscito. Ho fatto finta di aver sbagliato negozio, ma lui mi sa che l'ha capito.

Altre volte sgattaiolo dalla verduraia. Lí è piú facile. Puoi sempre comprarti due banane.

Va bene. Adesso devo andare, ciao!

Ah no, cosa importantissima: oggi è il tuo primo complemese! Cioè, da asino adottato. È un mese che sei da noi. Cioè, non sei da noi... Ma, insomma, è un mese che ci sei! Auguri!

Tuo Guglielmo Strossi

P.S. Noi, nella nostra famiglia, non facciamo solo i compleanni, facciamo anche i complemesi. Ciao.

Capitolo 17

in cui Raimond riflette
sulla sua incapacità a essere felice essendo inutile;
si lancia in uno sproloquio sui medici che c'entra davvero poco
e vi svela anche un suo amore segreto

Sentite qua. Garibaldi è pazzesco come ha le idee chiare. Lui pensa che siamo tutti inutili, e tanti saluti, chiusa lí. Cosí la pensa. E non a partire da una certa età: noi siamo *sempre* inutili. Viviamo. Cioè, viviamo e basta. Nasciamo solo per far questo: vivere. E cosa ci dovrebbe mai essere di cosí utile nel gesto di vivere? Niente. Andiamo avanti a vivere, respiriamo, teniamo in funzione la macchina corporea, ecco. Il piú a lungo possibile, questo sí.

Macchina corporea è quel che ha detto Garibaldi. A me mette una tristezza abissale. Dice che ci piace un sacco vivere, e ci piace perché, mentre respiriamo e teniamo accesa la macchina, ci inventiamo un mucchio di cose divertenti per passare il tempo: amare qualcuno, far figli, giocare con gli amici, viaggiare... Ma sono solo trovate, una maniera di farlo passare, il tempo della vita, nient'altro.

Io non lo so perché Garibaldi la pensa a questo modo, e se la pensava già cosí da giovane o ha cominciato dopo la storia del macello. Ma lui è fatto cosí, è uno molto spigoloso, ve l'ho detto.

Io gli sono amico lo stesso, per carità, non m'importa di come la pensa o non la pensa. Lui dice: Signori, il fatto che ci piaccia vivere non vuol dire che abbiamo una qualche utilità. Siamo inutili, che problema c'è? Nessuno.

Io lo lascio dire. Parla anche bene, Garibaldi. Parla poco, ma quando parla dice frasi che ti restano. Certe notti rimango sveglio a chiacchierare con lui anche fino al mattino. Fino a che arrivano Valer e Alis, e ci trovano ancora lí, sullo spiazzo.

Il punto è che Garibaldi non è né felice né infelice di essere inutile. Si è sempre sentito inutile punto e basta, senza tante storie. Io invece sotto sotto penso che siamo tutti utili, nessuno escluso. Tutti serviamo a qualcosa. Se no, cosa viviamo a fare? La penso al contrario esatto di Garibaldi, presto detto. Per questo adesso non mi rassegno.

Però poi continuo a chiedermi: si può sapere perché non mi rassegno? Com'è che oppongo tutta questa resistenza, che problema ho? E poi mi rispondo: i medici. Il mio problema sono i medici.

È cosí. I medici mi creano questo subbuglio interiore. Che esistano persone che ogni mattino si alzano, fanno colazione e si mettono addosso il camice verde, gli occhiali, i guanti, e tagliano un pezzo, due pezzi, cuciono. E fanno questa cosa pazzesca di guarire noi malati, di salvarci. Almeno un po', almeno ci provano. Eccolo il problema: se non ci fossero i medici, potrei anche accettarlo, di essere inutile. Ma cosí, come si fa? C'è troppa sproporzione: noi tutti inutili, e loro invece cosí utili. Non so... Siete mai stati malati? In modo non grave, intendo, ma un po' serio. Immagino di sí, almeno una volta. Cosí l'avete capito di persona, cos'è un medico, e non c'è tutto questo bisogno che ve lo spieghi io. Uno che ti toglie il male. Te lo estirpa. A me Claire mi ha aggiustato la pancia, per dire. Se no come facevo ancora a mangiare, digerire, camminare? Ti ritorna la vita, cosí. Ti alzi, ti chini, vai di nuovo a passeggio, vai dove ti pare, fai le cose che non potevi piú fare.

Ero piegato in due, un mal di pancia fortissimo. Avevo la febbre, le convulsioni. E arriva Claire.

La dottoressa Claire.

Un tipo magro e secco, uno scricciolo di medico con i capelli biondi ricci e due occhi neri a spillo che ti bucano il cuore. Sorride, mi parla. E la voce... da non crederci. Una cosí piccola, con una voce cosí fonda, potente. E con quella voce dà ordini, sistema, organizza. Mette tutti in riga, quello scricciolo, e poi ti guarda... e sorride. Ha questo sorriso che si allarga, assomiglia a un mare. Sapete al mattino il mare quando non c'è ancora gente, che sembra che sia lí solo per te?

Me la trovo nella stalla. Mai vista. Mi visita un bel po'. Sa tutto lei, cosa bisogna fare e non fare. Tu cosí ti lasci andare e basta, non ci pensi piú. Non era mica una dottoressa di noi asini, poi, era di voi umani. Chissà chi l'aveva chiamata.

Viene a trovarmi tutti i giorni. Passa da me. Prende una sedia e si mette lí. Mi ausculta, mi chiede come sto. Mi racconta cosa ha fatto la mattina, cosa prepara per cena, che voto ha preso suo figlio. Magari anche niente, sta lí e basta. E ogni tanto mi dice di star tranquillo, che passerà, che sto guarendo. Magari non è vero, ma cosa importa? Me lo dice, e allora io guarisco già un pezzetto. Poi si alza, mi dà una carezza, mi accomoda il telo sulla groppa. Se ne va.

Tutti i giorni.

Perché lo fa? Perché è un medico? Non so.

Sono stato un asino abbastanza utile, ho costruito case, ho portato bagagli, ma non ho curato nessuno. Curare, lo capite? È diverso. Uno può vivere cosí? Voglio dire, uno può vivere e non curare mai nessuno?

Claire... L'ho cercata cosí tanto, lí all'isola... A un certo punto ho sperato di riammalarmi. Ci ho anche provato, a farmi tornare il mal di pancia, la febbre, quei dolori. Ma niente. Non è cosí facile.

Il brutto dei medici è che spariscono, quando stai bene. Certo, ci mancherebbe: non hai piú bisogno di loro. Ma non si fa, non si dovrebbe fare. Chi l'ha detto che non hai piú bisogno, solo perché sei guarito? I medici dovrebbero farsi vivi ogni tanto, curarci anche quando siamo diventati sani. Cosí, per non farci ammalare mai piú. Ci farebbe bene. Ci toglierebbe la paura.

E anche adesso che son qui, in questo posto strano, come mi manca, Claire. Non m'importa di essere diventato vecchio e inutile. Pazienza, me ne farò una ragione. Ma Claire la voglio ritrovare. Fosse l'ultima cosa che faccio, giuro che la vado a cercare, prima o poi.

Capitolo 18

in cui Raimond ricorda la prima volta che è arrivato il postino Frido

A un certo punto, ve lo confesso, mi sono illuso. Quando ho cominciato a ricevere lettere, segretamente dentro di me ho pensato che fossero di Claire. L'ho sperato.

Ogni volta che arrivava Frido, sentivo il cuore tamburellarmi dentro.

Intanto avete idea di cos'è stato per me la prima volta, di cos'ho provato? Va bene. Ero qui buono da qualche settimana. In questo posto completamente nuovo, strampalato. È mattino presto, e arriva lui, il postino. E mi consegna una lettera. La prima. Cioè, arriva apposta per consegnarmi una lettera. Per consegnarla a me, capite? Ma come, sono appena arrivato e già ricevo una lettera? E da chi? Chi può conoscere il mio indirizzo? E perché mai mi scrive, per dirmi cosa?

Io non avevo la minima idea di cosa fosse una lettera, e questo ve lo devo proprio dire. E non sapevo neanche leggere, allora.

Quel mattino arriva il postino Frido, mi consegna la lettera, io lo ringrazio, faccio volentieri due chiacchiere con lui, è simpatico. Intanto guardo la busta, la soppeso con gli occhi. Bella. Leggera, bianca. Con quel rettangolino colorato appiccicato in alto, e delle scritte tutte buttate da una parte, a destra, mi pare. Un bell'oggetto, sono contento di riceverlo. Sono contento che quell'oggetto cosí sottile e impalpabile sia proprio per me, che qualcuno me lo abbia spedito, e che un postino adesso venga fin qui da me a consegnarmelo. Non so se mi capite. Da sentirsi anche fieri.

A Frido non lo chiedo che cos'è una lettera, non ci penso neanche. Mi vergogno, non oserei mai. Quindi me la rimiro ancora un po' con grande attenzione, la mia lettera appena arrivata, e poi decido di riporla, con delicatezza, in un cantuccio. Cos'altro potevo fare?

Il giorno dopo me ne arriva un'altra, uguale alla prima. Stessa scena: mattino presto, io in cortile in piedi, che sto un po' lí a contemplare l'alba, faccio colazione, penso alle cose mie, ed ecco Frido che mi consegna la lettera.

Al diavolo la vergogna, trovo il coraggio e gli chiedo:

– Scusa, Frido, ma sei sicuro che questa cosa che mi porti è proprio per me?

Frido con gentilezza mi dice di sí. E mi mostra l'indirizzo, e io capisco che è quella parte scritta in basso a destra sulla busta. Vedi?, mi dice. C'è il tuo nome, vuol dire che è per te. Contento?

Contento sí. Vorrei chiedergli se c'è anche scritto chi mi scrive. Ma non oso. L'importante è che c'è questo qualcuno che mi scrive. Vorrei che fosse Claire, d'accordo. Vorrei chiedere a Frido se lo legge, quel nome, sulla busta. Ma come faccio a parlargli di Claire? Mi tengo il pensiero, e la speranza. E anche questa seconda lettera me la tengo un po' di tempo lí, davanti agli occhi, me la giro e me la rigiro. Mi chiedo cosa farmene, ma decido che posso benissimo non farmene proprio niente, che va bene cosí, la tengo e basta. La conservo.

In fondo uno ti scrive, ma tu puoi anche non leggere. Una lettera comunque è un gran bell'oggetto da ricevere, puoi esserne felice anche senza aprirla, no? E la depongo in ordine sull'altra, sul bordo piú alto della mangiatoia, al riparo. E ogni volta che me ne arriva una la metto lí, insieme alle sue compagne. E non le leggo fino a ieri, perché ieri – ve l'ho detto – le ho lette tutte di colpo, d'un fiato, per via della lettera terribile. Ma per darmi una dritta prima dovete capire, devo cercare di andare con ordine, ve ne leggo ancora qualcuna.

Capitolo 19

in cui Raimond vi legge altre cinque lettere di Guglielmo

27 gennaio 2014

Caro Raimond,

ho finito i compiti, persino quelli di geografia, a scherma oggi non vado perché non c'è l'istruttore (meraviglia!), quindi ti scrivo perché ho ancora delle cose da dirti.

Lo sai che io mi faccio venire il mal di pancia, se voglio? Sono capace. Cosí sto a casa e non vado a scuola. Mia madre ci casca sempre. Mia sorella invece non ci casca mai.

Mia sorella è il mio vero incubo, nella vita. Ognuno ha il suo. Bene, io come incubo ho mia sorella, piú del mal di pancia.

Adesso te la descrivo. Stiamo facendo Descrizione a scuola, te l'ho detto. Una pizza colossale. La Garulla ci sta spiegando che la descrizione può essere diegetica o extradiegetica. Narratologia, per essere precisi si chiama cosí. Ti interessa? Se t'interessa dimmelo, te la spiego volentieri, perché credo di averla capita. Anzi, ho paura di averla capita, perché, se quel che ho capito è giusto, allora è proprio una boiata.

Mia sorella è alta, magra, bionda. Brava, intelligente, concreta. Praticamente perfetta. Benedetta, la sorella perfetta. Fa anche rima.

Concreta non so cosa vuol dire, mai capito. Vedi, Guglielmo, tua sorella è concreta. Quando mio padre mi dice questa frase, mi sento bucato da un grosso trapano. È da quando sono nato che me la dice. Perché, io invece come sono, astratto? Com'è un figlio astratto? O si può sapere qual è il vero contrario di concreto? Perché di sicuro io sono quello per lui. Il contrario di Benedetta.

Perfetta, prediletta, Benedetta... Guglielmo invece non fa rima con niente. Sí, d'accordo, con elmo. Non è granché. E piú o meno fa rima con ermo. Quando la prof comincia a leggere *L'infinito*, giú un boato, tutti a declamare: *Sempre caro mi fu guglielmo colle*. È colpa mia? C'ero io quando i miei mi hanno scelto il nome? No, non c'ero. E si può sapere dov'ero?

Sapere dove siamo prima di nascere magari diventa il mio lavoro, da grande.

Certe notti non ci dormo. Perché io sono uno che nella vita vuole risolvere problemi. Voglio diventare due cose nella vita: una te la dico poi, ma l'altra è risolvitore di problemi. Non problemi matematici, perché di matematica non capisco niente. Dico problemi piú generali. Anche piú giganteschi. Spaziali. I grandi problemi spaziali dell'umanità, ecco. Non ne restano tanti, lo so. Io ne conosco tre: l'origine dell'uomo, gli extraterrestri e salvare il pianeta. Ci sarebbe anche il problema del male nel mondo, ma quello non so...

Comunque stamattina sono rimasto a casa. Mi sono svegliato e ho deciso di non andare a scuola. Ho attuato il solito piano. Vuoi saperlo? Comincio a fare la lagna nel letto, finché mia madre non si affaccia e mi chiede se sto bene e io dico: No, ho mal di pancia. Allora lei mi chiede se me la sento di andare a scuola. E io dico: No, mamma, direi di no.

Funziona. Ormai il mal di pancia sono capace di farmelo venire a comando, non devo piú fingere come quando ero piccolo. Contraggo i muscoli addominali, finché mi viene una specie di crampo interiore, come se qualcuno mi stritolasse l'intestino, e nel giro di un'oretta sono piegato in due dal male. Nessuna madre al mondo mi manderebbe a scuola.

Solo mia sorella passa per il corridoio in pigiama e scrolla le spalle facendo la vocina falsa: Ah povero bambino!

E adesso scusami, devo smettere perché mi è salito il nervoso. Ti scrivo un'altra volta, ciao,

Guglielmo

27 gennaio 2014, sera

Caro Raimond,

questa cosa del mal di pancia finto l'ho detta solo a te, volevo precisare. E anche a Gesú, ma tanto lui lo sapeva già perché vede tutto, quindi sa tutto, quindi inutile non dirglielo. E comunque lui lo capisce che non è una bugia, è un piano, un piano perfetto, e secondo me lascia correre, non dice niente perché sta dalla mia parte.

Quando mi faccio venire il mal di pancia è bellissimo, perché mi godo l'uscita da casa. Cioè io che rimango in casa e tutti gli altri che escono.

Prima Benedetta, che arriva in cucina spettinata e si fa la sua ciotola di cereali con lo yogurt. Ha tutta questa testa di capelli ricci che al mattino s'increspano in un modo... Anch'io ho i capelli un po' ricci, ma solo sul davanti.

Poi esce mio padre, che non trova mai la borsa, non trova gli occhiali, non trova le scarpe. Allora mia madre gli urla: Ma quali scarpe, quelle nere? E lui risponde: No, quelle marroni, quelle marroni! Mia madre: Ma quelle marroni allacciate o mocassine? Mio padre: Mocassini, Carla. Sono maschi, i mocassini, per piacere!

Mia madre è una vita che dice mocassine. Io lo so benissimo che ha ragione mio padre, l'ho anche cercato sul dizionario on line, però do ragione a mia madre. Voglio che abbia ragione lei, perché lei mi vuole piú bene.

E poi è piú bello scarpe mocassine. Sanno di mocaccine, marocchine, marmocchine, macchioline, marmottine, mollaccine...

Mollaccine sono le t-shirt bianche che mia madre mi compra per il mare. Sono sempre troppo larghe e slabbrate: smollacciate. Come la tuta della Mollini. Mollaccine, dice lei.

Siamo abbastanza pari, io e mia sorella, nel cuore di nostra madre. O almeno a me sembra. Certe volte mi pare addirittura che preferisca me, anche solo di un centimetro. Diciamo che, fatto un metro l'amore di nostra madre per noi figli, io ne ho 51 centimetri, e Benedetta 50. Cioè 49. Due centimetri di piú... Non uno, due. Zachi non so, è troppo piccolo.

Mamma invece è sempre l'ultima a uscire. Ma è perché esce due volte: una a portare Zachi all'asilo e a buttare la spazzatura, e ci mette sempre una vita. E la seconda per andare a lavorare. Che tanto ci va quando le pare perché l'associazione è sua e può lavorare anche da casa, dice. Infatti quando è a casa sta sempre al computer. O anche all'iPad, se lo porta pure in bagno. Dice che controlla le mail, in bagno.

Ma prima di uscire al mattino prepara sempre il sugo per il pranzo, se io sono malato. Lo lascia coperto sul gas, e mi dice: È tutto pronto, Gulli. Metti su l'acqua, butta la pasta e riscalda il sugo. Buona giornata, Gulli, la mamma esce! Se hai bisogno che stai male, mi telefoni!

Anche stamattina mi ha detto cosí. E ogni volta che mi prepara il pranzo, io mi siedo in cucina e la guardo spignattare. È uno dei piaceri del non andare a scuola, forse *il* piacere della vita. Guardare mia madre fare il sugo.

Soprattutto perché il sugo è già fatto, è questo il bello. Eppure è come se lei andasse di persona nell'orto, si mettesse a raccogliere i pomodori, a sceglierli uno per uno, pelarli, sminuzzarli...

Invece lei apre semplicemente la scatola di pelati. Versa in un pentolino, aggiunge olio e scalda. Tutto lí. Ma io mi vedo l'orto, e lei che raccoglie pomodori per me, spezzetta, sfrigola... tutte le volte. Non so, sarà quel gusto di cipolla e basilico che mi entra nel naso quando resto a casa e lei cucina...

Poi esce che magari sono già le dieci. Mi dà un bacio sulla guancia, mi strafugna il ciuffo sulla fronte e mi ripete: Hai capito? Chiama se hai bisogno, io ci sono.

Io ci sarò sempre per te, mi ha detto una volta. Mi ricordo, è stato quando sono andato a schiantarmi in bici contro un albero... Questa storia lo so che adesso non c'entra niente, ma io quella frase me la ricorderò per sempre, e ringrazio Gesú che mi ha dato una madre cosí.

Vorrei solo che avesse meno cose da fare per l'associazione, questo sí. Diciamo che mi sarebbe piaciuta una madre meno culturale. O intellettuale. Certe volte chiedo a Gesú che magari gliela faccia chiudere questa associazione, ma poi mi pento un po', perché so che le piace molto questo lavoro. Se no cosa farebbe a casa? Solo sughi. E non credo che sarebbe cosí felice.

Tuo Guglielmo

31 gennaio 2014

Ah, Raimond,

poi non ti ho detto ancora granché di Zachi. Zaccaria, mio fratello. Ma non te l'ho detto solo perché lui non conta, è troppo piccolo. Vive perduto nelle sue macchinine. O nei suoi dinosauri. Fa andare le macchinine a tutta velocità contro i dinosauri, che poi lancia in alto con gli zamponi squamati tutti per aria. Vincono sempre le macchinine, è senza senso. Io gliel'ho detto che le auto non c'erano al tempo dei dinosauri, settanta milioni di anni fa. Ma lui non capisce niente.

Vive da un anno dentro camera mia. Che non è piú mia. Questo è il grave. A tre anni hanno detto: È grande, e l'hanno spostato dal suo lettino bianco con le sbarre a un letto normale come il mio. In camera mia, capisci? Hanno aggiunto un letto di fianco al mio e non mi hanno neanche chiesto il permesso. Io improvvisamente mi son trovato un fratello piccolo che dormiva con me. Mi ha rovinato la camera. Mi ha rovinato tutto. Gli voglio bene, ma non so piú dove stare. È anche per questo che faccio i compiti in cucina. Dove però c'è Tonia che stira.

Tonia stira sempre al pomeriggio, non so perché ha tutto questo stiro da fare.

Scusa, adesso devo andare...

31 gennaio 2014

Caro Raimond,

dovevo andare perché era arrivata mia madre all'improvviso con una signora dell'associazione, e mi ha chiamato a salutare. Io mi vergogno di andare a salutare, ma devo. Quindi ho smesso di scriverti e mi sono avvicinato a questa signora un po' vecchia, che mi ha dato la mano e mi ha accarezzato la testa come fossi un cane di peluche. Poi si sono messe al computer, mia madre e questa signora un po' vecchia.

Ti stavo dicendo di Tonia.

Tonia mi piace, ride sempre. Faccio i compiti in cucina perché c'è lei. Non dico che mi aiuta, perché scrive in rumeno, cioè senza le doppie. Ma sempre meglio che stare in casa con nessuno.

Oggi speravo ci fosse mia madre, cosí mi aiutava con l'analisi logica. Infatti c'è, ma non mi aiuta perché s'è messa al computer con la signora.

Tonia mi piace anche perché mi parla di continuo. Cioè, non riesco molto a fare i compiti con lei che parla cosí tanto, ma mi piace, mi racconta le sue cose, mi fa morire. A parte il fatto che secondo me mi vuole appioppare sua figlia. Mi sono fatto questa idea. È arrivata dieci anni fa con sua figlia che era ancora piccola. Senza il padre. Il padre non lo so dov'è, non glielo chiedo perché non voglio farmi gli affari non miei. Tonia parla sempre solo del suo villaggio in Romania, dice che è bellissimo, tutto verde, e che ci vuole tornare. Ma per il momento deve stare qui, è obbligata, desidera che sua figlia studi qui. Le ho chiesto perché, ma non ho capito. E non mi piace tantissimo che lei si senta obbligata a stare qui, nel nostro paese. Preferirei che le piacesse.

Ci tiene moltissimo a questa sua figlia. Me lo dice sempre, poi mi guarda. Mi guarda con occhi che supplicano. Ma cosa supplicano? Io lo so. Spera che io e sua figlia diventiamo amici, che usciamo... Che andiamo insieme a scuola al mattino, almeno fino al pullman. Questo vuole da me, ma io come faccio? Non so nemmeno come può pensarla, una cosa simile. Sua figlia Dayana è un po' un bidone. Molto piú di me. Cioè, io non sono un bidone, sono solo un po' grasso, sulle guance soprattutto. Adesso, ma l'amica della farmacista dice che quando poi mi allungo mi passa, è solo questione di tempo.

Comunque per me Dayana è come un mobile di casa: non la vedo neanche, però siccome è ingombrante ogni tanto ci vado a sbattere. Allora le dico: Scusa, e lei risponde: Niente. Questi sono mediamente i nostri dialoghi.

Io vorrei uscire con Martina...

12 febbraio 2014

Caro Raimond,

scusa se non ti ho scritto, è stato un periodo un po' cosí, i miei genitori hanno litigato un sacco. Non vogliono separarsi o divorziare, almeno credo, però ogni tanto s'ingarbugliano con i fili e allora io faccio quello che posso. Non che ne abbia voglia. Io avrei voglia di studiarmi in pace i miei crostacei, ma insomma... Certe volte arrivano a un punto che non sono piú capaci a sbrogliarsi, e si dicono un bel po' di cattiverie.

Adesso sono dieci giorni che mia madre dice che vuole andare a Parigi per un certo festival di non so cosa. Dice anche che ci lascia con Tonia, che problema c'è? Ma mio padre gliela fa lunga, dice che non si fa cosí, che potrebbe anche non andarci a Parigi a occuparsi di quei quattro scrittorucoli di cui si occupa. Lei allora gli tira dietro la pila dei suoi giornali di merda (giornali di merda glielo dice lei, a mio padre), che si sparpagliano tutti per aria e poi mio padre non trova piú gli articoli. Io esco dalla camera e urlo che cosí non ho la concentrazione e di smetterla. Ma siccome non la smettono, allora gli dico di sedersi in cucina che gli preparo un cocktail, anche se non lo so come si prepara un cocktail. Solo cosí, tanto per mettere pace. Ma sono dieci giorni che continua questa solfa e io non ne posso piú. Mia sorella se ne sbatte e Zachi è piccolo. Quindi… Quindi io sono molto adulto, lo so, me lo dicono tutti. Ma mi sono stufato.

Lo so che tu mi capisci. Solo tu mi capisci. Lo vedo quando guardo la tua foto, che hai gli occhi di uno che capisce.

Grazie!

Tuo Guglielmo Strossi

Capitolo 20

in cui Raimond va dai trapiantatori di primule
e dagli scollatori di francobolli e
(non chiedetemi come mai)
si perde in un pensiero sulle buste e sui noccioli di ciliegia

Di gente strana ne ho conosciuta in questi mesi. Di varipontini, dico.

I trapiantatori di primule, per esempio, sono persone allegre e riservate. Parlano poco, zampettano qua e là tutto il giorno per i prati. Fanno questo nella vita: aspettano che le primule buchino i prati a fine inverno, cosí le estirpano dal punto dove sono nate e le trapiantano nei punti vuoti di primule.

Il loro problema qual è? Me lo son fatto spiegare, perché non ci arrivavo. Sapete quando uno non riesce a vedere non dico la soluzione di un problema, ma nemmeno il problema?

Insomma, è che le primule nascono a casaccio. Dove capita, dove pare a loro. E cosí succede che porzioni del nostro pianeta siano lietamente popolate di quei bellissimi fiorellini e altre invece no. Ecco dunque che intervengono loro. Si tratta di una sorta di redistribuzione, in nome di una giustizia sociale dei prati, qualcosa del genere.

Li ho guardati a lungo, per giorni e giorni, questi trapiantatori.

Prima girano alla ricerca della primula giusta. Si spargono per i prati come formichine a passeggio. Poi s'inginocchiano perché l'hanno scelta, la primula. Tirano fuori delle piccole palette e zappettano il terreno intorno, fino a che la estraggono, con tanto di radici e zolla, e la depongono in una loro cassetta di legno, o un contenitore, ognuno ha il suo, può anche essere un vassoio, una bacinella per primule estirpate. Poi si dirigono nel luogo prescelto, brullo di fiori, intatto. Si richinano, zappettano quella nuova terra in modo che diventi morbida e accogliente, e poi con delicatezza estrema vi depositano il fiore, attenti a che le radici trovino spazio e si diramino con ampiezza. Infine ricoprono di terra, e la pigiano con le mani perché si rassodi. Bagnano con l'annaffiatoio. Si alzano. Contemplano il nuovo fiore, anzi, il vecchio fiore trapiantato nel terreno nuovo, e si dirigono pensosi verso un'altra primula. O almeno, cosí sembrano a me quando li guardo: pensosi. Come se avessero da sbrogliare l'ingiustizia del mondo.

Un giorno divento amico di uno di loro, Ezio. È un ragazzo sui quarant'anni, sposato, con due figli. Proprio come me.

Mi dice che era cosí già da bambino, quando andava in campagna dai nonni: passava la domenica a trapiantare primule. Mi dice che ha cominciato allora, e che secondo lui le cose che ci piacciono da bambini poi ci piacciono per sempre. Non so se è vero. A me da piccolo piaceva sdraiarmi nelle pozzanghere. Ma non mi è mai piú piaciuto.

Comunque le primule non ci sono tutto l'anno, dico a Ezio. Cosa dureranno, un mesetto se va bene? Spuntano piú o meno verso febbraio, e a marzo se ne sono già bell'e andate. Gli chiedo allora come fa a vivere, negli altri mesi dell'anno.

Mi dice che aspetta. Negli altri undici mesi aspetta che torni il mese delle primule. Sei pescatore anche nei momenti in cui non sei dentro un fiume fino alla cintola ad acchiappare trote al volo, no? E sei cantante anche quando non canti. E noi uguale, siamo trapiantatori sempre. Cosí mi dice.

In effetti. Anch'io sono asino tutto l'anno, non è che non capisca.

Lo seguo per un po', Ezio. Mi metto lí, e lo guardo. È bravissimo. Provo una grande ammirazione. La nostra è un'amicizia proprio di questo tipo: io ammiro lui, e lui si lascia ammirare. Funziona. Alla fine di una giornata abbiamo percorso chilometri e chilometri, a zig-zag, avanti e indietro, in alto e in basso. E lui ha spostato un mucchio di primule. Il risultato è che dove ce n'erano tante adesso ce ne sono poche, e dove non ce n'era nessuna adesso ce n'è qualcuna.

Mi chiedo se sia giusto tutto questo trapiantare, e che senso abbia.

Una notte sogno una primula recalcitrante, che non vuole andare da nessuna parte e si tiene alle radici strepitando che la lascino dov'è. Mi sveglio a metà sogno, perché non voglio vedere come va a finire.

Ne parlo con uno scollatore di francobolli, Alfonso, mentre lavora con gli altri sotto un lunghissimo porticato.

Sotto quel porticato, al riparo dalle intemperie, infinite cucine a gas. E su ogni fornelletto un pentolino, dove bolle dell'acqua. Davanti a ogni pentolino ci sono loro, gli scollatori di francobolli. In piedi, fermi, attenti. Aspettano che l'acqua arrivi a ebollizione. Poi abbassano il fuoco, prendono una busta o una cartolina da un grosso sacco e la appoggiano sul pentolino. Ogni tanto la sollevano, per valutare se il vapore ha fatto o no il suo lavoro.

Alfonso una volta era ingegnere edile, per questo andiamo cosí d'accordo: ci troviamo a parlar di case, calcolo del cemento armato e quelle cose lí. Gli chiedo se lui trapianterebbe primule, che senso ha secondo lui.

– Nessuno, – mi dice. – Meglio scollare francobolli –. E nel dirlo, lo fa. Afferra con delle pinzette di metallo il francobollo che si è appena staccato e lo mette tra due carte assorbenti perché asciughi.

Io non ribatto e, anche se non c'entra niente, mi viene da pensare alle buste. Non so perché, però mi viene, il pensiero di quelle povere buste che rimangono scottate, umidicce, mezzo bollite, gnecche. Orfane del loro francobollo.

Non dico niente ad Alfonso. Cosí come non ho detto niente a Ezio. È un problema mio. Come con gli snocciolatori di ciliegie. Macchinari strani che assomigliano un po' ai tritacarne. Tu infili le ciliegie e loro te le sparano una dietro l'altra, denocciolate. Anche qui, non so perché, mi viene sempre da perdermi in pensieri. Chi aiuta chi? Chi può volere che una ciliegia vada nel mondo senza nocciolo e perché? A cosa servono veramente le ciliegie?

E i loro noccioli?

Capitolo 21

in cui Raimond vaga ancora per prati,
nonché per pensieri ingarbugliati su animali vari,
tra cui trote, leoni, antilopi e topi

Siccome qui i prati si susseguono l'un l'altro, spesso senza confini, senza neanche una staccionata di separazione, e comunque senza un ordine logico (questo posto è fatto cosí), può capitare che uno spulciatore di pallini dai maglioni di lana viva accanto a uno spiluccatore di more dai cespugli di rovo. O che un pescatore ributtante peschi e ributti in acqua le sue trote accanto a una delle ricamatrici di cuscini.

Res si irrita quando chiedo il perché delle cose. Lo vedo da come si scompone le pagine, da come perde l'equilibrio. Continua a dirmi, seccato, che questo non è un posto dove la parola *perché* abbia un senso. Se uno è inutile è inutile, non serve a niente e a nessuno.

– E io non avrei voglia ogni volta di sprecar parole inutili con te, – mi dice. – Certe cose o uno le capisce oppure pace. Non puoi cavare sangue dalle rape.

Cosí mi dice. E io sarei la rapa, va da sé. Però io a un pescatore ributtante gliel'ho chiesto lo stesso perché pesca le trote per poi ributtarle in acqua.

– E cos'altro vuoi che ne faccia, delle trote?

– Per esempio cucinarle con olio e rosmarino, o farle lesse e intingerle a bocconi nella maionese.

– Ma sei matto? Morirebbero!

– Be', sí, i pesci se li mangi muoiono un po'... – A volte mi parte l'ironia cosí, non lo faccio apposta. E una volta partita è partita, non ci posso piú fare niente. – Ma allora perché pescarli, i pesci, scusa?

– Li pesco per pescarli, che domande. Per il gusto stesso di prenderli all'amo, per il gusto in sé!

C'è qualcosa che non va in questo ragionamento, secondo me. Prendiamo un leone, per esempio: caccia un'antilope e poi, sul punto di sbranarla, non lo fa e le dice: Scusami, antilope, volevo solo prenderti per il gusto di farlo e adesso ti lascio andare, amici come prima. No, è evidente che non funziona. Il leone caccia per sfamarsi, okay. Ma il pescatore pesca per che cosa, per divertirsi? E il buco in bocca alla trota? Come la mettiamo? Cioè: la trota si diverte, lei?

Sento che c'entra anche, da qualche parte del ragionamento, il gatto che insegue il topo, lo uccide e non lo mangia. Perché lo uccide ma non lo mangia? Perché non lo mangia ma lo uccide? Gioca? Che cos'è il gioco? Perché giochiamo? E giocano tutti, anche i topi? Con chi gioca un topo?

E io giocavo con i miei fratelli?

E con i miei figli?

E Guglielmo? Gioca con me Guglielmo, quando mi scrive delle primule?

Capitolo 22

in cui Raimond vi legge la lettera di Guglielmo dove dice che si è innamorato di una certa Martina (da cui anche, casualmente, si capisce che i trapiantatori di primule un loro senso ce l'hanno...)

20 febbraio 2014

Caro Raimond,

adesso che ci conosciamo meglio ti parlo un po' di Martina. Perché a volte ho un groppo in gola che non so come tirare fuori. Martina è una mia compagna di classe. Ha le braccia diafane. In una poesia ho studiato che vuol dire trasparenti tanto sono bianche. I capelli castani lunghi e gli occhi invece non so come descriverteli, perché non riesco a guardarglieli. Sono troppo. Un po' come quando guardi il sole, che devi abbassare lo sguardo.

Non le ho mai parlato. Non riesco.

Cioè, solo una volta. Le ho chiesto se aveva un foglio protocollo e lei mi ha detto sí e me l'ha dato. Poi mi è dispiaciuto usarlo. Cioè usare una cosa sua. Ma dovevo ricopiare il tema, e l'ho usato. Ho anche pensato: nessuno lo saprà mai cos'è per me questo foglio, tanto meno la Garulla. Cosa ne sanno gli insegnanti di che cosa può essere per noi un foglio protocollo?

Ah, ha anche due fossette laterali. Ai lati della bocca, una per parte. Quelle gliele guardo bene tutte le volte, ci riesco.

Mi chiedo se non dovrei dirglielo, che la amo... L'ho anche chiesto a Gesú, che cosa farebbe lui al posto mio. La suora diceva sempre che non si disturba Gesú per delle cose di poco conto, se no lui si volta dall'altra parte. Martina non è di poco conto, però.

Allora, visto che Gesú s'è voltato, continuo a chiederlo a me stesso, cosa devo fare. E una parte di me dice: Sí, se no lei come fa a saperlo? E se non lo sa come fa ad amarmi?

Ma c'è l'altra parte che mi dice: Sei scemo? Devi tenere il segreto per tutta la vita, e magari solo in punto di morte glielo dici, con la spada che ti trafigge il cuore.

La scena della spada l'ho vista in un film di cavalieri medievali, che lui moriva, lei gli teneva la testa e lui allora le diceva che aveva vissuto solo per lei. Era un film bellissimo. Il titolo me lo sono dimenticato.

Io guardo un sacco di film, me li scarico sul computer. Ogni tanto poi mi faccio dei film tutti miei nella testa, dei film mentali. Mi sono fatto la scena che le dico che la amo almeno un centinaio di volte, e ogni volta diversa. Ad esempio la raggiungo nell'intervallo e le offro un pezzo del mio panino al salame, ma poi magari non riesco a dividerlo e m'impastrocchio col salame unto. O io che la invito a casa, ma con quale scusa, fare i compiti? E perché lei dovrebbe venire fin da me a fare i compiti che se li può fare tranquilla a casa sua? Cos'ho io da offrirle, la bacchetta magica, un robot che ci fa gli esercizi? Però se venisse poi le farei vedere un film seduti vicini sul divano e a un certo punto del film, non so mai bene quale, le prenderei la mano e gliela bacerei… Ma si bacia la mano a una ragazza? Tu lo sai? Se lo sai, me lo puoi dire, cosí non faccio la figura del cretino?

Comunque, a pensarci bene, non sono le braccia diafane.

E neanche le fossette laterali.

È come si muove. Come alza le spalle, o scrolla i capelli. Anche come cammina. Un po' di lato. Sembra quasi uno dei miei granchi preferiti… Ma questo non glielo direi.

Per il momento non le parlo. Aspetto che se ne accorga lei.

Per aiutarla dissemino segnali. Tipo una mia biro sulla sedia, un biscotto buono (di quelli che mi dà mia madre) nel suo portapenne. Non sciolto, avvolto nel cuki. Segnali anonimi, comunque. Lei non deve sapere da chi le arrivano, non deve capire. E io mi gusto la scena di quando trova una cosa e si guarda in giro per vedere chi gliel'ha messa. Prima o poi lo capisce che sono io, di sicuro. Soprattutto dai biscotti, perché li porto solo io, a scuola, i biscotti avvolti dentro al cuki.

L'altro giorno volevo farle trovare un mazzo di fiori nello zaino. Ma non fiori qualsiasi, pensavo delle primule. Solo che non le trovi ovunque, ci sono certi prati che non ne hanno nemmeno una.

Cosí sono uscito per andare a cercarle. Ed eccole lí, nel nostro giardino condominiale. Una fortuna incredibile. Mi fermo a raccoglierle, e non arriva mia madre proprio in quel momento? Pieno pomeriggio, non so... Di solito rientra all'ora di cena se va bene. Che sfiga! Gulli, cosa fai, raccogli fiori?, mi fa. E io: No, mamma. E lei: E quelli cosa sono, lampadari? Mia madre è cosí: caustica. Cioè: feroce. Non lo fa apposta, e non ce l'ha con me: è la sua natura. Lei è proprio fatta cosí, le viene. Sí, mamma, raccolgo fiori per la mia ragazza. Cioè, primule. Cioè, per quella che vorrei diventasse, nel giro di una settimana o due, la mia ragazza. Va bene cosí? No che non va bene. Allora le dico: Stavo esaminando la particolare disposizione dei petali rispetto all'accumulo casuale dei semi al centro. Mia madre so come prenderla: basta che aggrotto un po' le sopracciglia, faccio l'aria seria professorale, la voce fonda, dico paroloni e lei è felice. La intorto come voglio, e subito vedo che le si distendono i nervi e certe volte sorride pure.

Benedetta invece non ha mai di questi problemi. Lei ha un mucchio di fidanzati, non solo Federico, ne porta in casa ogni volta uno diverso, e papà è solo contento, dice che sua figlia attira ragazzi come mosconi, e ride. Compiaciuto.

Ma lei è grande, è un'altra storia. E poi è mia sorella, non è che posso chiedere a lei come si fa con le ragazze. Zachi non se ne parla perché, piccolo com'è, non esiste ancora.

Quindi, se mi dai una mano almeno tu è meglio...

Tuo Guglielmo

P.S. Le primule nello zaino non gliele ho poi messe, perché al mattino erano morte e puzzavano.

Capitolo 23

in cui Raimond s'interroga sul raccogliere conchiglie, scopre il prato del pianto e incontra la ballerina innamorata del cavatappi

Sono giovani e vecchi. Lenti e chini che sembrano una processione. Vanno avanti, si bloccano, ripartono. Si mettono in ginocchio a frugar la sabbia, scavicchiano, spazzano un po' la superficie. Ogni tanto se ne rimangono con la testa per aria a guardare il mare, poi riprendono a camminare, gli occhi bassi, come avessero un microscopio dentro. Preferiscono la riva, dove l'onda scarica conchigliette nuove che chissà dove ha trovato, in quali abissi: le ultime arrivate, ancora fresche di mare.

– Perché raccolgono conchiglie? – chiedo a Res.

Non volevo, mi è scappato... È solo che sto pensando all'animaletto. C'era dentro un animaletto, prima, nella conchiglia. Perché non è piú lí? Dove abita adesso? E come sta? E se fosse morto? Se fosse morto, la conchiglia sarebbe la sua casa vuota.

E questi cercatori di conchiglie cercherebbero case vuote, case di qualcuno che è morto? Perché?

Res mi guarda.

– Lo sappiamo perché cantiamo? – dice. – O perché guardiamo scendere la pioggia dietro ai vetri? No, non lo sappiamo. Però ci piace farlo. E adesso, Raimond, andiamo a casa per favore, sono stanco.

Non lo sapevo.

Non sapevo che i libri guardassero la pioggia dietro ai vetri.

Proprio quella notte capita una cosa bruttissima. Mi ero preso quattro o cinque conchiglie, per guardarle meglio, ed ero lí che le contemplavo, quando comincio a sentire pianti e lamenti.

Non capisco da dove vengano, quei suoni. Chi piange?

Esco a fare un giro di ricognizione e, seguendo i gemiti, arrivo in un posto desolato, separato dal resto dei prati. L'unico posto dove Res non mi ha mai portato.

Certo che non mi ci ha portato, se n'è ben guardato! Sapete che cos'è? È il prato del pianto. È il posto dove tutti qui, prima o poi, vanno a piangere. Quando non si sentono per niente felici. Stanno un po' a piangere e poi ritornano al loro prato, ricominciano le loro cose, finché non hanno di nuovo bisogno di piangere un po'. Capito? Tutti gli abitanti del Paese delle cose inutili, chi prima chi dopo, vanno a piangere in questo prato del pianto...!

C'è una cosa, posata in terra. Un cofanetto di legno, uno di quelli che se li apri si mettono a suonare. Lo apro e salta fuori lei: una minuscola statuina di plastica in tutú, le braccia ad arco, i piedini sulle punte. Parte la musica e lei balla. Balla e piange.

È lei che piange.

E mentre piange, balla sullo specchio che le fa da lago, o non so, qualcosa di simile. Non può farci niente, se qualcuno apre il cofanetto lei deve ballare, anche se non ne ha voglia. Anche se piange.

– Perché piangi? – le chiedo.

– Perché sono innamorata.

– E di chi?

– Del cavatappi.

Mi guardo intorno, non vedo nessun cavatappi.

– Lui non ci mette piede in questo posto, – mi spiega la piccola ballerina di plastica. – Piuttosto si fa tagliare la gola!

Mi è chiaro che i cavatappi non ce l'hanno, una gola. Ma non è il momento di attaccarsi a questi dettagli, d'accordo.

– Perché non ci verrebbe mai qui?

– Perché lui cava i tappi! Lo vedessi... Non sta fermo

un momento, sempre a cavar tappi a destra e a manca, lo chiamano da ogni parte e lui galoppa, felice di rendersi utile.

Che un cavatappi galoppi, anche questo mi suona strano. Ma anche lí non dico niente, meglio lasciar correre: quell'esserino di plastica bianchiccia mi pare già cosí provato dalla vita.

– Non lo decidiamo noi di chi innamorarci, – continua. – È una cosa che ti succede. A me è successo alla Fiera della Primavera.

E lí la ballerina parte a raccontarmi la sua storia.

Storia d'amore della ballerina e del cavatappi

Era una domenica di maggio, c'erano i gazebo tutti in fila sulla piazza del paese, la gente che girava, i bambini, i palloni, il croccante di nocciole. Io ero nel mio stand di cose antiche, e accanto c'era lo stand dei vini. La sorte ha voluto cosí. Fossi capitata vicino allo stand della biancheria intima, o delle piante grasse, di sicuro non succedeva. Invece... Vuol dire che era destino.

Ma cos'è mai il destino?

Ogni tanto qualcuno apriva il cofanetto, e allora vedevo il cavatappi. Ballavo e lo guardavo. Mi sembrava cosí alto, e forte. Mi piaceva quel suo continuo darsi da fare, quell'aria un po' spavalda.

Una bottiglia dopo l'altra, un ballo dopo l'altro, è venuta sera. La fiera era finita, la gente se ne andava a casa, smontavano gli stand.

Anche i nostri, il suo stand del vino e il mio delle cose vecchie d'altri tempi.

Ci fu un attimo in cui ci trovammo accanto. Vedi com'è la vita? Mentre smontavano le due bancarelle, ci fu un momento in cui ci misero vicini, ci depositarono a terra tutti e due, contemporaneamente. Forse è solo questo che chiamiamo destino: una coincidenza temporale. Un attimo, e ci avrebbero caricati ognuno sul suo camion e portati via. Non ci saremmo visti mai piú. Ma in quel momento eravamo l'uno accanto all'altra.

Allora presi coraggio e glielo dissi, che mi ero innamorata, che per me lui era tutto, che se voleva potevamo vivere per sempre insieme. Sono stata un po' sfacciata, ma non volevo vivere di rimpianti.

Lui scoppiò a ridere e mi disse: Ma dài! Ma cosa sei? A cosa servi, cosa vivi a fare, tu?

Mi sentii morire.

Aveva ragione. Non ci si innamora di un cavatappi, se si è una ballerina di plastica dentro uno stupido carillon.

Capitolo 24

in cui Raimond,
siccome è diventato triste con la storia della ballerina,
per distrarsi vi legge un po' di lettere di Guglielmo

26 febbraio 2014

Caro Raimond,

ieri è successa una cosa bruttissima. Mia madre ha tolto il mio poster del *Liocarcinus* e ne ha appeso un altro che piace a Zachi!

Ma come ha potuto?

Ha estirpato il mio manifesto preferito per sostituirlo con quel deficiente di Mowgli che si spenzola da una liana. Quando sono entrato in camera volevo mettermi a urlare, e pestare mio fratello che se ne stava lí tutto ignaro a colorare fogli sul pavimento. Zachi che fa l'ignaro mi dà un nervoso... E non lo sopporto, quando si sdraia a terra. Io entro e non lo vedo. Sembra una pelle di leone. Una volta lo calpesto, giuro.

L'ho chiesto a mia madre, come ha potuto.

È anche la stanza di tuo fratello, mi ha risposto.

E poi ha aggiunto che sono pieno di granchi. Cioè di poster di granchi, quindi anche se ce n'è uno in meno non guasta.

Guasta sí invece! Intanto di poster in camera ne ho solo otto. E poi sono tutti diversi, ognuno è una famiglia diversa di crostacei. E comunque è camera mia, Zachi è arrivato dopo, nessuno mi può togliere uno dei miei granchi, il *Liocarcinus vernalis* meno che mai! Non sai quanto ci ho messo a trovarlo, quel poster... 100 per 70, fondo azzurro mare e lui in primo piano, bello, zampe a raggiera, corazza pentagonale... È il migliore dei Brachiuri, secondo me. Philum degli Artropodi, subphilum Crostacei acquatici, ordine Decapodi, sottordine Brachiuri. Tanto per essere precisi.

È un granchio di sabbia, sta nei fondali. Sai quei granchietti veloci che in un attimo spariscono nella sabbia? Si scava una fossa per nascondersi, questo mi piace molto di lui... Ha una zampa che è fatta apposta, il segmento terminale della quarta posteriore è appiattito proprio per scavare, è una specie di paletta.

Tutti i crostacei mi piacciono, intendiamoci. Sono la mia materia. Sono la cosa che vorrei fare tutto il giorno, invece di andare a scuola e a scherma. Ma i Macruri o gli Stomatopodi mi piacciono meno, cioè, sai, i crostacei a corpo lungo, gamberi, aragoste, canocchie... Meglio i granchi, molto meglio. Hanno una corazza incredibile, i granchi. E gli occhi in alto come periscopi. E il passo, poi... Li hai mai visti come camminano? Di lato. Veloci come schegge. Prova a rincorrerli...

Be', mi ero comprato questo poster spettacolare su internet. L'ho pagato con la prepagata di mia sorella. Quando mi è arrivato il pacco, cioè il tubo del poster, mia madre mi ha chiesto che cos'era e ho detto che mi serviva per la scuola. Tanto poi nessuno ci pensa piú, in questa casa, a cosa dico o non dico, hanno tutti altro da fare...

Tuo Guglielmo

27 febbraio 2014

Caro Raimond,

ieri Tonia mi ha ripetuto che io e sua figlia Dayana usciamo piú o meno alla stessa ora, da scuola. Siamo in due scuole diverse, anche abbastanza lontane, ma secondo lei io dovrei fiondarmi a razzo davanti alla scuola di sua figlia, aspettarla fuori e poi tornare con lei a casa. Il messaggio è chiaro.

Anzi, mi dice anche che siccome le cinque è l'ora di merenda e lí davanti c'è My dream, una pizzeria buonissima sempre aperta, potremmo andarci a mangiare la farinata, dopo la scuola, io e sua figlia. O anche il castagnaccio.

Io odio il castagnaccio, mi fa la colla nello stomaco.

E poi non ci voglio andare, con Dayana, all'uscita di scuola. Io non la voglio vedere mai, Dayana. Soprattutto non voglio che nessuno veda me, con Dayana.

Tuo Guglielmo

2 marzo 2014

Caro Raimond,

comunque una cosa la devi sapere di me: quando ho una spada in mano e un nemico davanti, io sto bene. Sono calmo. Mi vanno via le nuvole. Mi devo solo concentrare. Comincio a concentrarmi già nello spogliatoio, quando mi vesto. Anzi, no. Comincio già prima in pullman, quando Tonia mi porta a scherma.

Mi studio i colpi. Non è facilissimo. Devi prevedere quelli dell'altro. Pensare a come schivarli, come prevenirli. Ma ti devi inventare tu le mosse, anche quelle imprevedibili. Prevedere le mosse imprevedibili non è facilissimo. Alla fine la partita te la sei già tutta giocata nella testa da solo. Potresti anche non farla. E questo è il bello.

Se vieni, te lo spiego meglio. Magari davanti allo specchio ti faccio vedere come si prevedono i colpi imprevedibili. Chiudiamo la porta a chiave e ti faccio vedere.

Per il momento, arrivederci,

Tuo Guglielmo Strossi

4 marzo 2014

Caro Raimond,

oggi non sono andato a scuola. Solito piano del mal di pancia.

E adesso, un attimo fa, sono entrato in cucina a prendermi una coca e ci ho trovato Dayana. È uscita prima perché non avevano ginnastica e non so cos'altro.

Appena mi vede che mi prendo la coca, mi fa: Non sei andato a scuola. Rispondo: No. Mi chiede perché. Lo sai, rispondo. Lei: Sí, però la devi smettere.

Capisci? Mi fa la saccente. La materna. Quella che mi sgrida e mi controlla. Ma si può?

Tanto non gliel'ho detto perché non sono andato a scuola. Non lo dico a nessuno, neanche a Tonia o a mia madre. Lo dico solo a te: non ci sono andato perché ieri Dennis Cartozza mi ha legato alla pertica, e davanti a tutti mi ha fatto la danza dei selvaggi Incoturri che vogliono arrostire il nemico in pentola. E io ho continuato a dirgli che gli Incoturri non esistono da nessuna parte e che lui è un ignorante, ma tutti ridevano lo stesso, anche di piú.

Anche Martina.

Tuo Guglielmo Strossi

5 marzo 2014

Caro Raimond,

quando invece non ho una spada in mano sono nervoso e snervante. Lo dice mia madre che sono snervante, non io. Io mi sento solo nervoso. Questo dovevo dirtelo, per essere completo.

È solo che quando non ho una spada in mano mi viene una paura strana. Non è proprio paura paura, del tipo che scapperei perché mi sento in pericolo. No, è diverso: non mi sento piú io. E allora mi viene quella paura strana. Come quando sono al supermercato, che Tonia mi porta con sé perché dice che a casa da solo non mi lascia. E va bene, ma io cosa ci faccio lí a caricare di pelati un carrello? Sono io? No che non sono io. Cioè sono un altro io, che non mi piace.

Io mi piaccio molto solo quando ho una spada in mano e un nemico davanti.

E quel che mi piace, di quel momento, è che studio quando sferrare i colpi. Il quando è tutto. Tu non hai idea. C'è solo un momento giusto. Tutti gli altri sono sbagliati. O è troppo prima o è troppo dopo. Lo devi capire tu quando è il momento. Se no, lui passa. Tutti i momenti passano, ma soprattutto quelli giusti. Mai capito perché.

È solo questo che m'importa: beccare i momenti giusti, infilzarli. A me è questo che piacerebbe fare nella vita, è la seconda cosa che vorrei fare, la prima, ti ricordi?, è risolvitore di problemi. La seconda è infilzatore di momenti giusti. Il campione mondiale dei momenti giusti. Quello che li prende tutti, che li infilza come polli. Può essere utile a qualcuno, no? Dico come lavoro, può essere utile?

Invece quando me lo chiedono, cosa voglio fare da grande, dico il calciatore. E tutti ridono perché quando gioco sembro una patata lessa che rotola nel fiume con un sasso al collo. Ma almeno cosí sono tutti contenti. Fare il calciatore evidentemente è una cosa che va bene, lo vedi che s'illuminano. E io mi tolgo i problemi, sto tranquillo, non mi rompono e ciao.

Ciao,

Tuo Guglielmo Strossi

Capitolo 25

in cui Raimond gira a lungo per il prato del pianto, incontra l'amante infelice, la casa sfitta, il biologo solitario, il dipinto trascurato; fino a che (era inevitabile) viene da piangere anche a lui

La cosa piú incredibile, nel prato del pianto, è che non c'è nessuno che non piange. Piangono tutti, capito? Da soli o a gruppi, sotto un albero o dentro una tana.

Per esempio a un certo punto incontro un vecchio, uno che avrà quasi novant'anni. Sta sulla sponda di un fiume, guarda lontano. Ha addosso dei pantaloni color cachi pieni di tasche e una maglietta che una volta era bianca ma ora è grigio sporco.

– Non so piú cosa ho vissuto a fare, – mi dice, cosí, senza salutare, senza presentarsi. – Non me lo ricordo. A metà della vita mi sembrava di averlo chiaro, ma poi ho perso il perché. È venuta questa malattia che mi ha portato via la testa... Non so cosa mi ha portato via, non me lo ricordo, ma da allora mi è presa una paura...

Accanto, al riparo di un grande pino, c'è l'amante infelice. Piange anche lei.

È seduta a una scrivania, con una pila di fogli davanti, un po' scritti e un po' no, e un portapenne pieno di penne, biro, stilografiche, cannucce col pennino. Blatera tra sé una specie di cantilena lamentosa. E scrive un mucchio di lettere a un tale che ama, e poi però non gliele manda.

– Cosa gliele mando a fare? – mi dice. – Lui non mi ama.

– Ma perché gliele scrivi, allora?

– Gli devo dire che lo amo. Se non glielo dico, cosa lo amo a fare?

Passo attraverso il gruppo delle nonne dei nipoti cresciuti, che non si danno pace. Si siedono sulla poltrona, si alzano, girano in tondo. Piangono piano, senza far rumore, ognuna persa nei propri pensieri, nei propri nipoti.

Mi avvicino a nonna Esmeralda, una vecchina elegante, con un filo di perle su un golfino beige. Le chiedo che cos'ha, che la fa piangere cosí. Mi risponde che suo nipote ha trent'anni, ecco cos'ha, trent'anni!, mi dice in lacrime, ed è sempre in giro per il mondo, lavora, studia, non lo sa neanche lei cosa sta facendo, sa solo che non lo vede piú, non lo sente piú.

Vado avanti e arrivo a una bellissima casa su una scogliera. Bianca, con le persiane azzurro cielo, e una grande terrazza vista mare.

La casa è chiusa, vuota. E piange.

Sono sicuro che quella casa pianga, perché non piove, non è piovuto mai nei giorni scorsi, eppure dalle gronde esce un continuo rivoletto d'acqua. E anche i muri trasudano una specie di rugiada, un'umidità perenne che sgorga da chissà dove e chiazza le pareti.

È una casa sfitta, mi dico. Le case sfitte sono cosí tristi, hanno storie cosí terribili. Di solito le abitavano signori anziani, che poi sono morti e gli eredi non si sono messi d'accordo. Ovvio che è andata cosí, a questa casa. E ora nessuno la usa. Nessuno apre le finestre ogni mattina per fare entrare l'aria. Nessuno scorrazza nelle sue stanze e nel suo giardino. Ma soprattutto, nessuno siede sulla terrazza vista mare a guardare il mare.

Mi viene da pensare alla tristezza delle strade mai percorse, dei vestiti mai messi. Alla tristezza di ogni oggetto in bella mostra nei negozi, inutilmente in vendita, che nessuno comprerà.

Sono immerso in queste mie tristezze quando m'imbatto in un uomo. Lo vedo da lontano, seduto su una sedia, le gambe accavallate, l'aria persa sognante. Un bell'uomo, con un completo grigio e la cravatta.

È un biologo, mi racconta quando mi siedo accanto a lui. Si è occupato per anni d'isolare un tal batterio per sconfiggere una malattia molto grave, che fa strage nei paesi piú poveri del mondo. Mi dice che per studiare meglio a un certo punto ha lasciato tutto, moglie, figli, amici, e si è affittato una baita in alta montagna. Si è portato dietro i libri e gli alambicchi per gli esperimenti, il microscopio, i vetrini, le colture. E ha vissuto lí, scollegato da tutto e da tutti. Tre anni. Una piccola baita di pietra, appoggiata su un bricco, a strapiombo.

Faceva freddo lassú. Ma lui è abituato, arriva da certi paesi gelidi e sterminati piantati in mezzo all'Europa, lontanissimi da qualsiasi mare, dove c'è solo steppa, chilometri di neve e ghiaccio, e gente intabarrata col colbacco di pelo in testa. Mi fa vedere le foto, anche di sua moglie. Una donna impellicciata che si sbraccia a salutare non so chi, e ride.

Secondo lui si può arrivare a qualche risultato, negli studi, solo se ci si rinchiude in un posto isolato senza la vita che ti prende.

– Cos'è la vita che ti prende? – gli chiedo. Mi risponde che è tutto, per esempio far tardi la sera, andare al cinema con gli amici, giocare a palla con i figli, portare a cena una fidanzata, una moglie, comprarsi un paio di scarpe nuove, ascoltare la radio in macchina. In una parola, la vita! Gli piace molto la vita. Ma lo distrae, non può permetterselo. Deve studiare. Una baita in alta montagna è perfetta. La sua ricerca richiede concentrazione. Non scende mai in paese, niente. Gli portano la spesa, e se ha bisogno di qualcos'altro telefona.

L'unica distrazione che si concede è passeggiare. Soltanto su in alto, senza scendere mai. Si perde per i sentieri. Cammina anche ore, in salita. Poi si siede su una roccia e guarda in basso. Porta con sé dei quaderni, che a un certo punto si mette a riempire. Copre pagine e pagine, poi chiude e, con pensieri nuovi in testa, scende a lunghi passi verso casa.

Dopo qualche anno, la ricerca è finita. Ce l'ha fatta, ha isolato il batterio, la malattia si può sconfiggere. È molto soddisfatto, non vede l'ora di comunicare la sua scoperta al mondo. Torna al suo paese.

– Ma... – mi dice, – avevo commesso un errore gravissimo. Una dimenticanza imperdonabile... Essendomi isolato per studiare meglio, avevo trascurato tutte le relazioni. Non avevo coltivato i contatti.

Non capisco. – Quali contatti? – gli chiedo.

– I contatti di lavoro, le relazioni utili! Me n'ero dimenticato! Avevo solo macinato idee e riempito quaderni. Mai comunicato con nessuno, per anni! Ero diventato un orso, un frate, una specie di eremita...

Cosí mi dice. E il resto della sua storia è davvero molto triste: quando torna nel mondo, nessuno lo sta a sentire. Nessuno gli rivolge nemmeno la parola. È come se non esistesse. Trova solo muri di silenzio. Non lo invitano a nessun congresso. Non lo fanno scrivere su nessuna rivista. Se lo incontrano nei corridoi, fanno finta di non vederlo.

– Guarda là, un altro come me... – mi dice. E mi indica un dipinto. Una grande tela posata in mezzo alla campagna. No, scusate, è un affresco, un pezzo di muro affrescato che si erge contro il cielo, nel nulla. È lí, da solo, battuto dai venti, in quel prato immenso.

– È stato dipinto nella stessa stanza dove Leonardo da Vinci ha dipinto l'*Ultima cena*. Stessa stanza, parete opposta. Refettorio dell'antico convento domenicano di Santa Maria delle Grazie. L'autore è Giovanni Donato Montorfano. Non lo conosci, vero? Mai sentito? Ecco, appunto.

Confesso che non sto capendo un accidenti.

– La gente arriva, – continua lui, – centinaia di persone al giorno. Tutti a vedere l'*Ultima cena*. Nessuno che si volti a guardare la *Crocifissione* sulla parete di fronte. Non notano neanche che ci sia, un'altra parete! Stanno lí a bearsi del Leonardo, per ore. Fanno la fila. Ammirano, si commuovono. E poi escono! Cosí come sono entrati, escono. Finito. Hanno guardato l'*Ultima cena* di Leonardo, fine della gita. E lui? E il dipinto trascurato?

Non so bene cosa dirgli, gli strofino il muso sulla giacca. Solo questo. Che altro posso fare? Per noi asini non è facile parlare con gli esseri umani, non sempre troviamo le parole giuste. Speriamo che i nostri pensieri in qualche modo arrivino per altre strade.

Comunque quella notte l'ho passata in bianco a pensare ai miei due figli che ho lasciato sull'isola. M'è venuto questo pensiero triste. Non ne ho piú saputo niente, non ne saprò mai piú niente. Persi, come le petroliere all'orizzonte, che sembrano sempre ferme tanto son lontane.

Ripensavo alla sera in cui non li ho salutati. E come facevo? Il camion blu mi portava via. Mi sarebbe piaciuto dir loro la verità, che sarebbero cresciuti senza di me, che dovevo andarmene perché cosí succede, a una certa età. Sarebbe stato meglio che lasciarli cosí, senza una parola. Avrebbero potuto chiedermi dove andavo, e io avrei detto: Lontano. Ma muori?, mi avrebbe chiesto Spin. Lo so che lui me lo avrebbe chiesto, perché ha sempre avuto paura che morissi, anche quand'era piccolissimo. Una volta che non ho mangiato la cena era disperato, s'era fissato che al mattino mi svegliavo morto.

No che non muoio, Spin, vado solo via...

Ma poi, c'è differenza? Mi viene da pensare che morire *è* andare via. Allontanarsi per un sentiero che si perde. Diventare lontano. Diventare uno che non si vede piú. Un certo giorno gli altri si voltano e non ci trovano. E al nostro posto magari vedono un segno, una zampata, che il mare non ce l'ha fatta a cancellare.

Come Agata.

Mi è venuto anche il pensiero di Agata, quella notte. Veramente mi viene quasi ogni notte. Non ve ne ho parlato tanto perché non mi va, mi fa star male. Ma dopo essere stato nel prato del pianto dove piangevano tutti, mi è sembrato difficile non mettermi a piangere anch'io.

E adesso okay, vi racconto la storia di Agata. E anche quella faccenda della cacca, vi ricordate? Che poi ho lasciato a metà. Invece adesso ve la racconto perché la cacca c'entra con Agata, purtroppo.

Capitolo 26

in cui Raimond, piangendo,
vi racconta la tristissima storia della sua Agata

La fontana a metà costa, sul versante ovest, era il posto dove andavamo a bere, noi asini, quando riuscivamo a sfuggire ai vigilanti.

Io ci andavo poco, preferivo morire di sete che trasgredire agli ordini.

Agata invece sí, disobbediva, ci andava sempre. Era l'asina ribelle, ve l'ho detto.

Bere ci era vietato, per via dei turisti. Bere – vi ho già detto anche questo – vuol dire poi fare pipí, e ai turisti non piace vedere la pipí degli asini che macchia i muri e le strade. Cosí ci davano poca acqua. E anche poco cibo, perché ai turisti la cacca piace ancor meno della pipí.

Insomma quando riuscivamo, scappavamo a bere. I piú coraggiosi di noi. Io no. Io l'acqua me la sognavo di notte, cosí mi sembrava di bere. I sogni non è vero che vengono come pare a loro, siamo noi che li chiamiamo.

Anche adesso, per esempio, se sono molto bravo certe volte riesco a sognare la mia Agata come fosse viva, me la vedo col suo collare rosa spento. Spento perché prendeva troppo sole, io glielo dicevo: Stai all'ombra, vado io a portare i massi. Ma lei era cosí, non si tirava indietro. Era fiera e caparbia.

L'acqua nei sogni me la facevo scendere a cascatella dalle rocce, aprivo la bocca e mi finiva direttamente in gola. Nel sogno non avevo fondo. Potevo starmene a ingoiare acqua anche ore. Nel sogno diventavo largo e pieno come un mare. Mi sentivo tutto fresco dentro, e mi svegliavo che non avevo piú sete, neanche un po'. O cosí fingevo. Se uno finge, poi capita che succede quel che finge. Oppure non lo so, era il fresco delle rocce che favoriva quei sogni d'acqua, stendersi sul freddo di una roccia la notte... Bisognava scegliere bene, una roccia che di giorno non avesse preso sole. Incredibile come la pietra ributta il calore del giorno, la notte. Non si raffredda mai.

Agata scappava via come una lepre e nessuno la trovava. Lo faceva già da piccola. I suoi erano vecchi quando lei è venuta al mondo. È il nostro ultimo dono, dicevano. La tenevano come una perla rara, l'avevano cosí viziata, le lasciavano far tutto, anche scappare. E si capisce, era il bastone della loro vecchiaia, non l'avrebbero data via per nulla al mondo. Io me la sono presa lo stesso. Cosa importa? Ho aspettato e me la sono presa.

All'inizio mi sono accontentato di vederla alla fontana, per mesi. Poi un giorno l'ho portata su un'altura, il punto piú in alto dell'isola. Lei trottava avanti anche se la salita era ripida e scoscesa. E mi sfidava: Guarda sotto, cagasotto!, mi diceva. Perché io soffrivo di vertigini, lei no. Io mi vedevo sempre il baratro, anche quando ero in piano, al sicuro. Sapevo che c'era, il baratro, e mi bastava pensarlo che sentivo le ginocchia cedere e un tremolio per tutto il corpo. Una volta mi sono persino buttato a terra: Cosí non cado piú, ho detto. E Agata: Certo, bravo te!

Quel giorno sull'altura le ho chiesto se mi aiutava a guardare giú. Lei è scoppiata a ridere: Puoi guardarti i piedi, per cominciare!, ha detto. Poi ha aggiunto: Va bene, cagasotto, affare fatto! Ma tu allora mi porterai sempre da bere, cosí non dovrò piú scappare alla fontana.

Le ho portato da bere tutta la vita, di nascosto. Se avevo paura? Sí, da morire. Sono un cagasotto.

I nostri due figli sono venuti su bene. Susanna assomiglia a sua madre, non a me. Io sono un asino color grigio-asino, cioè di un grigio medio, comune. Invece lei è come Agata, di un grigio chiaro quasi bianco. L'abbiamo chiamata Susanna perché era bianca e morbida come la panna. Le portavo sempre i mandarini, giú sull'isola. Ne va matta. Si mette lí e se li mastica, chiude persino gli occhi. È nell'età in cui bisogna coccolarla molto, se no s'intrugna. Mette su il trugno, voglio dire. Adesso non lo so chi glieli trova, i mandarini.

Spin da piccolo aveva un modo tutto suo di muoversi: girava in tondo, come fanno i cani quando vogliono mordersi la coda. Giocava sempre, con quella sua aria svagata. Faceva una specie di moto rotatorio intorno a un asse immaginario, una specie di rivoluzione, quasi lunare. È anche per questo che l'ho chiamato Spinnaker, non solo perché mi piacciono le vele. Sí, mi piacciono, la notte me le sognavo, le vele che partono. Volevo essere come loro, andarmene. E di giorno me le andavo a guardare dall'altura, le vele a prua, gli spinnaker a strisce rosse. Poi mi passava il tempo, e dovevo tornare. Facevo retromarcia sullo spuntone di roccia, attento a non cadere di sotto e sfracellarmi sugli scogli, impaurito, tremante, con le ginocchia a pezzi: perché non mi erano mai passate, le vertigini, Agata non lo aveva fatto il miracolo di farmele passare.

Si è sfracellata lei, sugli scogli. Una sera. Una sera fredda che non è tornata a casa. Io facevo finta di dormire. La aspettavo, in qualche modo lo sapevo, me lo sentivo. E non riuscivo a muovermi, avevo come una corda che mi teneva fermo. Poi è arrivato il mattino, e lei ho visto che non c'era, lí, nel gruppo che scendeva al porto. E gli altri son venuti a dirmi: Raimond, è caduta! Presto, vieni a vedere!

Secondo me l'avevano beccata che beveva. Quella sera lei aveva voluto fermarsi sull'altura, a guardare il mare. Le avevo portato lí il solito secchio, ma non ero rimasto con lei, ero tornato dai piccoli. Mi sembrava che Susanna non stesse bene, che avesse bisogno di me. L'ho lasciata sola, Agata. E l'hanno presa che beveva. O che sporcava di cacca o di pipí le strade intorno, non so. Certe volte, la sua pipí scorreva come un fiume giú per il selciato. E la sgridavo: Agata, lo sai, non devi. Se ti prendono?

Fossi rimasto lí con lei l'avrei difesa, avrei sferrato calci, li avrei fatti morire. Invece quella notte l'hanno presa. Ma l'avevano già deciso di farla fuori, prima o poi. Aspettavano solo l'occasione. Lei era l'asina ribelle, quella che recalcitra, che scappa. Dava troppi problemi, la mia Agata. L'avevo scelta perché era cosí.

Di sicuro l'hanno presa, l'hanno portata nel solito posto. Io non c'ero, ma lo so. C'è un posto, sull'isola, dove buttano a mare gli asini. Cosí dicono. Gli asini che si ammalano, per esempio. Mandarli liberi randagi non ha senso, e il macello non se li prende. Non servono piú a niente. E allora li buttano giú dal precipizio.

Non sono andato a vedere. Non ho avuto quel coraggio.

Ci sono riuscito dopo mesi. Guardavo in giú, ce la facevo. Agata il miracolo lo aveva poi fatto, alla fine. Stavo in piedi sullo spuntone di roccia, guardavo le onde cosí piccole e cosí potenti, la schiuma bianca che illuminava quel buio, e non so, mi sembrava di vederla passeggiare tra gli scogli. Il mare è solo un buio, di notte, un buio di rumore sordo, che non smette.

Non avevo piú le vertigini. Ci sono andato tutte le notti, a guardare giú.

Capitolo 27

in cui Raimond si asciuga le lacrime e,
tanto per riprendere un po' fiato,
vi legge una lettera di Guglielmo
su un tema che gli sta molto a cuore

9 marzo 2014

Caro Raimond,
ho riflettuto molto sulla timidezza. Anche perché la Garulla ci ha dato un tema, sulla timidezza. Non so, s'è messa d'accordo con mio padre…? Fa lo stesso, scrivere mi piace. Mi fa partire le riflessioni. Davanti al foglio del tema, rifletto come un treno.

Mi piace scrivere perché nessuno vede che sto pensando a cosa scrivere. È una cosa che si fa di nascosto, pensare, quindi mi va bene. Cioè, tu puoi pensare anche cose enormi e nessuno le vede. Sei uno fermo immobile, niente d'interessante da guardare, quindi nessuno ti guarda. E a me piace quando nessuno mi guarda.

Comunque io non so cos'è esattamente la timidezza. Nel tema ho solo raccontato degli episodi, mi sembrava il modo migliore. Ho raccontato di quando per strada incontriamo qualcuno e io non lo saluto, faccio finta di non vederlo e mio padre poi a casa si arrabbia con me, mi fa sedere sulla poltrona del salotto, quella vicina al camino, e mi dice che devo salutare, se no sembro maleducato.

Primo, la poltrona vicina al camino è troppo larga e io ci sprofondo, quindi da laggiú rincagnato non mi va proprio di parlare, a mio padre poi meno che mai.

Secondo, adesso lo racconto io, quel che succede quando incontro un tale e lui mi saluta e io no. Io lo sento che mi saluta, certo, e magari mi dice anche due parole del tipo come stai, o dove stai andando a quest'ora, o hai visto la partita. Lo sento, non sono mica sordo. Ma non rispondo.

Non rispondo perché mi viene un muro. Davanti, o dentro, non so bene. Piú che un muro, mi sale una valanga di cose da dire, ma nessuna mi sembra vada bene. Allora tutte quelle cose mi si ammassano davanti e fanno il muro. È questo. Quindi sto zitto.

Per esempio, nel tema racconto di quando ero in seconda elementare e nell'intervallo le maestre ci facevano giocare in gruppo. Giocare da soli, non so perché, non andava mai bene. Pazienza, mi metto nel gruppo, anzi, mi mettono loro nel gruppo che vogliono loro, che doveva fare il gioco dei pinguini. Il gioco era: metterci in fila indiana, sbattere forte le mani come fossero le ali corte dei pinguini, camminare di lato balzellando da un piede all'altro e fare ogni tanto Brrrr Brrrr per far capire che c'era il ghiaccio intorno. Io lí mi impunto e non faccio il pinguino con gli altri. Perché mi vergogno. Mi sento troppo stupido a fare le alucce corte e dire Brrrr Brrrr e camminare come un birillo, pensando di essere un pinguino. Io non sono un pinguino. Io sono Guglielmo Strossi, e Guglielmo Strossi non è un pinguino.

Invece secondo mio padre uno deve fare il pinguino perché lo fanno gli altri ed è molto divertente, e se non lo fa vuol dire che è timido e non va bene per niente. E questo è un grosso problema, che non so come risolvere. Anche se io da grande, come ti ho detto, è questo che voglio fare: il risolvitore di problemi, anche grossi. Ma non di questo, perché io questo problema non lo so risolvere.

Se ti vengono delle idee dimmele.

Grazie,

Tuo Guglielmo

Capitolo 28

in cui Raimond scopre che Res non si chiama Res, e ascolta la sua triste storia

E adesso viene la parte piú incredibile, state a sentire.

Quella notte la passo a piangere nel prato del pianto, okay. Sto tornando a casa quando, ai margini del prato, lí nell'ombra della notte che sta sfumando, lo vedo. Res! Se ne sta in disparte, quasi nascosto.

Mi ha pedinato? Sono fuori di me. Gli vado incontro, lo voglio affrontare, chiedergli perché non mi ha mai parlato di tutta quella gente che non è contenta e piange. La statuina innamorata, la casa sfitta, il biologo solitario. Glieli butto tutti addosso con rabbia, gli chiedo perché, gli dico che non me l'aspettavo da lui, che mi ha deluso. Gli chiedo se per caso lui, che è un libro, si rende conto della sofferenza altrui, di quella di un dipinto, per esempio. Ha mai sentito parlare della *Crocifissione* del Montorfano? Lo sa che non la guarda mai nessuno da secoli? Tutti ignorano che esista.

Ed è a quel punto che il libro, all'improvviso, si mette a piangere.

Sí, a piangere. Mi dice che lo capisce eccome quel povero dipinto che nessuno guarda! E piange cosí tanto che sembra un temporale, una burrasca. Non si contiene. E a me sembra di vederlo per la prima volta, che si sia tolto un velo, una maschera, qualcosa che lo copriva.

Gli ripeto che mi ha ingannato. Che non è vero che qui sono tutti felici. Annuisce. Mi prega di scusarlo, dice che gli dispiace da morire, che lo ha fatto solo a fin di bene…

Non capisco. Allora glielo chiedo. Mi viene coraggio e gli

faccio la domanda che da tanto mi nascondevo dentro. Gli chiedo che cos'è, questo paese strano. Lo metto con le spalle al muro, gli dico che non sono cretino, l'ho capito che questo posto non si chiama in questo modo stupido, Paese delle cose inutili, o Variponti. Ma dài, gli dico, te lo sei inventato tu, è chiaro! Mica per niente non c'è un cartello, una targa, un'indicazione stradale! Che segreto nascondi, libro? Spara!

Cosí gli dico.

E lui spara. Io non ci contavo per niente, l'ho buttata lí, per vedere come reagiva. Non me lo aspettavo che cedesse.

Ha ceduto. È crollato. Tutto quel credersi chissà chi, quasi fosse il padrone di questo posto, e poi di colpo mollava. Era diventato proprio molle in senso letterale, le pagine sfatte, la copertina sgualcita.

Allora l'ho raccolto. L'ho portato sul ciglio. Sul ciglio della strada, come piace a me.

– Di' la verità, – gli dico, – vai anche tu a piangere nel prato del pianto...

Annuisce.

– E la gente qui non è cosí felice...

Annuisce.

– E non si chiama Paese delle cose inutili, né Variponti.

Annuisce.

– E come si chiama?

Silenzio. Sta in silenzio un attimo che mi sembra lunghissimo, non la finisce piú di stare in silenzio. Poi dice:

– Non lo so...

Con un tono che mi fa una pena, non avete idea! Non lo sa. Lui semplicemente non lo sa. Mi ha ingannato, s'è costruito tutta una fantasia, e adesso dice che non lo sa... Ma perché?

Mi racconta che lui quel mattino di novembre, quando ci siamo incontrati sulla strada deserta, stava scappando. Non era per niente a spasso: scappava! Non ne poteva piú di vivere in quell'ammasso di libri ammuffiti, roba vecchia e rottami, tra cose e persone inutili, buttate lí come rifiuti.

Rifiuti? Rottami? Mi sembra che esageri.

Mi dice che voleva andare lontano, non sapeva dove, ma sperava che la vita gli portasse qualcosa di buono. Invece ha incontrato me, e il suo piano è saltato. Gli ho fatto pena. Gli è venuta voglia di togliermi da quella strada. Non voleva che io fossi un randagio, gli ha mosso il cuore questa cosa che me ne andavo per il mondo cosí nel vuoto. Ha deciso di portarmi qui, e pazienza se per lui voleva dire tornare indietro.

– Scusami... – mi dice.

Gli strofino il muso sulle pagine. Siamo lí, seduti sul ciglio della strada. Come facciamo sempre, come ci piace. E lí sentite cosa mi dice:

– Ti ho ingannato anche sul mio nome. Manca una vocale... manca una *o*. Non mi chiamo Res, mi chiamo Reso.

Reso? Confesso che a me non cambia niente. Che sarà mai una *o* in piú o in meno? A me sta bene. Ma non mi ascolta. Continua:

– Participio del verbo rendere. Non mi hanno piú voluto e mi hanno restituito.

Cosí mi dice. E io capisco solo in quel momento. Capisco che il mio amico libro è un participio. Participio passato del verbo rendere.

Come potevo immaginarlo?

Cosa ne sappiamo noi di un amico, se quell'amico non ci parla? Se non ci dice la verità, e nemmeno come si chiama veramente?

Storia del libro Reso

All'inizio tutto bene. Molta gente mi vede esposto in libreria e mi compra. Molti mi chiedono subito ai commessi, cioè entrano sparati apposta per comprare me. Mi hanno pubblicato con grande clamore. Feste, anticipazioni, recensioni, vetrine, pubblicità, interviste, fotografi, premi.

Sembro una star. Gran bella sensazione, credimi, molto appagante. Non che mi dia delle arie, questo no. Però provo un'intima, innegabile soddisfazione. Finisco persino in classifica. Due settimane soltanto, ma è già molto, c'è di che andare fieri.

Sí, ci sono i critici che dicono peste e corna proprio perché vado in classifica, d'accordo. Ma i critici bisogna lasciarli dire.

Insomma, all'inizio tutto bene. Ma poi... Poi tutto finisce. Fai il botto, poi ti accasci e ti lasciano lí, accasciato. Un libro morto. Sei mesi in libreria e poi ciccia.

Ma è normale, escono centinaia di libri nuovi al giorno, la gente è attratta dalle novità. Cosí, la mia pila non si abbassa piú, e i librai mi spostano dalla vetrina, e poi anche dal bancone in prima fila. Mi mettono negli scaffali, pigiato insieme agli altri, tutti lí a sgomitare. Chi ci vede piú? È un serpente che si morde la coda, lo capisci? Meno vendi piú sei invisibile, e piú sei invisibile meno vendi! Passano i giorni, i mesi... e tu sei sempre lí, che prendi polvere sullo scaffale. Nessuno ti guarda, nessuno ti sfiora neanche con un dito. Diventi un libro invecchiato, devi lasciare il posto.

Lo sai, ma te ne stai lí nascosto, e aspetti. Continui ad aspettare. Stai buono e aspetti fiducioso che qualcuno ti chieda al libraio, scandendo il titolo preciso, l'autore, la casa editrice, che ti paghi alla cassa e ti porti a casa con sé, dove con calma, magari la sera, ti aprirà e comincerà a leggerti, e poi piano piano, frase dopo frase, magari ti amerà per tutta la vita... Questo sogna un libro, per questo è nato: perché un lettore lo ami.

Invece niente.

Finché un brutto giorno ti tolgono anche dallo scaffale. Stop. Fine della corsa, si scende. Non ci puoi credere. Che senso ha avuto la tua vita? Perché ti hanno fatto nascere per poi farti subito morire? Ci vogliono anche anni, per diventare un libro. Ci vuole qualcuno che ti pensa, ti scrive, ti cancella, ti riscrive, ci ripensa, magari poi per mesi ti lascia lí, perché non sa come continuarti. Poi un bel giorno all'alba ti riprende. Tu eri lí addormentato, e lui ti riprende. È bellissimo, esisti molto prima di nascere, e ti piace quel tempo lungo che ci metti a diventare un libro, ti piace da morire. Sai, Raimond, è già vita, quella. Lo scrittore non ci pensa, scrive e basta. E tu invece lo sai, che esisti. Stai a guardare lo scrittore, senti su di te le parole, una dopo l'altra, incide già la tua pelle, ti graffia.

Quando lo scrittore ha finito, fremi, sogni la qualità della carta, la gabbia tipografica, i caratteri, la copertina... Ti chiedi con quale immagine ti metteranno al mondo. E dove sarai esposto, in quali vetrine. E che cosa vedrai del mondo, da quelle vetrine. Chi ti sceglierà. Quanti ti vorranno. Esisti in centinaia o migliaia di copie ma ti senti uno. *Sei* uno, sempre lo stesso, ma moltiplicato. E vai di mano in mano. Ottanta, centomila mani che apriranno le tue pagine, altrettanti occhi che faranno entrare le parole nella mente... Non è meraviglioso, tutto questo?

E invece poi... Un giro di giostra, Raimond! Tutta questa fatica per un giro di giostra...

Non hai nemmeno il tempo di vedere un po' di mondo, che subito vieni inscatolato e rispedito al mittente.

Ti restituiscono, capito? Ti rendono a chi ti ha stampato.

Io sono un libro reso, Raimond, ecco cosa sono.

Questo è stato il racconto di Res, cioè di Reso, quel mattino all'alba. Piú o meno, per quel che ricordo.

Non sapevo cosa dire, e gli ho fatto una domanda stupida. Gli ho chiesto come mai era finito qui, se i libri resi li portano in questo posto.

– No, – mi ha risposto. – Mi ci ha portato un amico, un dizionario di latino. Un tipo grosso, energico. Mi ha salvato dal macero.

Quando dice macero, la sua faccia diventa buia. Non so cosa sia, ma non dev'essere un bel posto. Mi viene una strana paura.

E questa cosa che a noi asini ci aspetta il macello e a loro il macero, non so, in qualche modo mi fa sentire che, d'accordo, lui è un libro e io sono un asino, però non siamo poi cosí diversi...

– Io non voglio morire, – se ne esce Reso di colpo, secco. – Ho dentro tante di quelle parole, pensieri, storie... Possibile che tutto questo muoia con me? E dove va? Dove si va, Raimond, si può sapere?

È quasi mattino. È tutto bagnato di rugiada, qui intorno, oltre il ciglio. Secondo me ci fa male questa umidità, soprattutto a lui: è cosí fragile, è solo carta...

– Ma tu non morirai, – gli dico.

– E chi l'ha detto?

– I libri non muoiono.

Reso mi guarda. Il vento comincia a muovere poco poco i rami. Vedrai che spazzerà la nebbia umida, mi dico.

Capitolo 29

in cui Raimond s'interrompe sul piú bello e vi legge ancora due lettere di Guglielmo

10 marzo 2014

Caro Raimond,

tornando ai granchi, mi piace anche molto il granciporro. Il suo nome vero è *Cancer pagurus*, per la precisione. Ma si trova perlopiú in Bretagna. Voglio andarci, in Bretagna, prima o poi... È speciale il granciporro, vive trent'anni ed è grosso anche trenta centimetri. Di giorno si nasconde tra le rocce, e la notte va in giro a colpire. Ha certe chele che te le sogni. Mi piacerebbe vederne uno dal vivo... La volta che vado in Bretagna mi acquatto tra le rocce finché non lo becco.

Sai, ti devo proprio ringraziare, Raimond. Perché io queste cose, prima, non sapevo mai a chi dirle. Invece adesso che ho te, le posso dire a te ed è bellissimo, grazie...

Guglielmo

P.S. Il mio idolo però è l'*Uca pugnax*. L'hai mai visto? Se digiti su Google ti viene l'immagine. È anche detto granchio violinista, perché una delle chele è cosí gigante che sembra un violino. Ce l'hanno solo i maschi, e la sbandierano in lungo e in largo, credo per far paura. Piacerebbe anche a me avere una chela gigante.

11 marzo 2014

Caro Raimond,

la Garulla mi ha chiesto se portavo mio padre in classe a parlare del suo lavoro di giornalista. A scuola si portano molto i genitori come esperti. Quando hai dei genitori esperti di qualcosa, s'intende. Se no cosa li porti a fare? Non è che puoi portare un genitore che ti racconta solo che fa il genitore, porti un genitore se fa un lavoro importante. Per esempio Elisa ha portato tutti e due, perché sua madre fa la fotografa di moda e suo padre l'avvocato penalista e ha sempre a che fare con i criminali, anche grossi. A me sta un po' antipatica, Elisa.

Io ho detto no, alla Garulla. Mi sono preso tre giorni di tempo, e stamattina le ho detto che mio padre non poteva venire, che aveva troppo da fare e si scusava moltissimo. A mio padre non l'ho neanche detto, né che era invitato né che si era scusato. Mi manca solo di vedermelo girare per la classe, lui e i suoi pantaloni grigi larghi, e quel suo nodo alla cravatta che si sistema sempre con la mano destra, cos'è, un tic?

In classe di Benedetta invece c'è andato, quando faceva le medie, e lei me la ricordo, tutta tronfia quel mattino che diceva: Che bello, che bello che vieni nella mia classe, pà! Da piccola lo chiamava pà, mio padre. Altra cosa che mi fa partire i nervi.

Capitolo 30

in cui Reso fa a Raimond una proposta bizzarra, Raimond scalpita non poco (cioè, scalcia) ma poi accetta

Reso, dopo avermi raccontato la sua triste storia, mi fa una proposta che mi lascia secco. Be', in effetti eravamo arrivati a un punto morto. Io non potevo piú andarmene in giro a conoscere gli abitanti felici del Paese delle cose inutili, ora che avevo scoperto che non erano felici per niente. E lui, da parte sua, non poteva certo continuare a cercare di convincermi che dovevo diventare un inutile-felice, visto che nessuno di loro lo era diventato. La realtà si era mostrata a noi per quel che era, e ora ci era impossibile far finta che tutto filasse come prima.

Cosí era iniziato un periodo moscio. Io mi barcamenavo, un po' a passeggio, un po' a guardar la luna e a cercar conchiglie. Reso si rintanava nella sua cattedrale-biblioteca con gli altri libri, a fare cosa lo sapeva solo lui. Però non poteva durare, era troppo triste. E insomma, una mattina se ne arriva tutto pimpante e mi dice questa cosa pazzesca:

– Va bene, Raimond, adesso t'insegno a leggere.

Cosí mi dice. Io ero buttato sul prato, masticavo il mio solito filo d'erba.

Poi continua:

– La vita è ancora lunga.

E con questo ritiene esaurito l'argomento.

– No, leggere no, non se ne parla! – mi oppongo.

Do i numeri, quando mi annuncia questo suo terribile proposito. Ma come diavolo gli è venuto in mente? Insegnare a leggere a me! Ma perché mai? Mi metto a scalpitare, sbuffo, scalcio.

Io sono uno che scalcia poco, non so se l'avete capito. Sono fatto cosí. Mio padre, il vecchio Demetrio, diceva a mia madre: Ma è un asino, questo?

Lo so che tutti gli asini scalciano. Lo so, non sono mica stupido. Scalciare è quel che fanno gli asini, è il loro gesto. Ci ho provato tante volte. E sono anche capace, scalcio che è una meraviglia. Però dopo un minuto o due che lo faccio, mi chiedo cosa scalcio a fare, e finisce lí. Quando ti nasce una domanda, ti è nata e buonanotte, non è che la puoi ricacciare indietro nella testa.

Invece quel mattino faccio volare zolle di terra, tanto scalcio. Per la rabbia, ovvio. E dalle narici mi esce un fiotto d'aria calda.

Reso è sconcertato. Lo vedo impallidire.

– Ma si può sapere perché reagisci in questo modo?

In un certo senso ha ragione. Ho esagerato. Ma io ho paura che a leggere si diventi malinconici. Me lo diceva sempre la mia mamma. Diceva: Raimond, per piacere, non voglio che ti metti da una parte e stai lí tutto solo, ti scende un velo e vedi tutto grigio. Mi diceva anche: Promettimi di non diventare mai malinconico, nemmeno quando non ci sarò piú. E poi è morta, come vi ho già detto.

Reso sta in silenzio, si agita dentro, forse, ma sta in silenzio. Mi sembra che non sappia cosa dire. Poi se ne esce con un discorso che mi è piaciuto. Sí, non dico che mi abbia convinto, ma mi è piaciuto. Sentite qua, mi ha detto:

– Ascolta, Raimond, io adesso non ho nessuna voglia d'impelagarmi in discorsi astratti e stucchevoli, mi vien male solo a pensarci. Non sono bravo a difendere i libri, a far tutte quelle ciance sulla bellezza di leggere, il valore della lettura... Poi tua madre è tua madre, non mi ci metto... Quindi, sentimi bene, Raimond, pensala un po' come vuoi... però prova! Ti dico solo questo: prova! È l'unica. Cosa ti costa? Ti metti lí, impari, leggi, e poi se non ti piace smetti.

Mi è sembrata una proposta onesta.

Che dirvi? Ho accettato.

Capitolo 31

in cui Raimond legge e basta

Quindi okay, Reso m'insegna a leggere. Glielo lascio fare. Sono un tipo morbido, in fondo. Anche perché in questo modo gli evito il suicidio, ecco, diciamo cosí.

S'è messo lí con pazienza. È venuto da me tutti i giorni, alle otto in punto. Puntuale puntuto, mi verrebbe da dire, che facevo giusto in tempo a darmi una lavata, una scrollata al pelo, e farmi un giro in tondo nel cortile per sgranchire le giunture.

Ho sempre questo problema alle giunture. Scricchiolano. Fanno un rumore, come dei chiodi chiusi in una scatola che smuovi. È artrite, lo so che è artrite. Me l'ha detto Claire. Mi ha anche detto che ne avrei sofferto tutta la vita. Va be'.

Anche la pancia, ormai. Dall'operazione non mi sono mai ripreso del tutto. Cioè, sto bene, per carità. Claire è stata grandiosa, non si vede neanche la cicatrice. E il male me lo ha tolto. Però mi è rimasto un pesantore, non so. A volte mi sembra che mi sia finito dentro per sbaglio uno di quei sacchi di cemento che mi caricavano sulla groppa. È come se mi fosse rimasto un ricordo, dall'operazione. Il corpo che ricorda il male che aveva, qualcosa del genere. Ma va anche bene, è giusto ricordarsi del male che si è avuto, cosí ti sembra ancora piú bello essere guarito.

Comunque, se ci fosse Claire gliene parlerei, e mi passerebbe tutto. Lo so. Lo so che mi basterebbe vedere come si mette a ridere, e quegli occhi a spillo che mi forano.

Un giorno o l'altro vado a cercarla. Vado e la ritrovo.

Comunque, Reso viene tutte le mattine alle otto e mi fa lezione. L'alfabeto, le sillabe. Le virgole, gli avverbi.

Sulla grammatica ci stiamo un sacco perché non mi entra. Soprattutto l'apostrofo e l'accento. Li confondo. Ma chi se ne importa? Glielo dico: Mica mi devi insegnare a scrivere, solo a leggere! Cosa te ne importa dell'apostrofo? Ne va della tua vita? Invece vien giú l'universo, non ci credereste quanto vien giú che sembra un cataclisma.

Poi finalmente un giorno Reso mi dà un libro da leggere, il mio primo libro.

È un librino. Sottile come un'ostia.

S'intitola *La nuvola Olga*.

E io rimango deluso peggio di un cane bastonato. Ma come? Credevo di leggere lui! Io credevo che lui m'insegnasse a leggere perché cosí finalmente potevo leggere le sue pagine, la storia che si tiene dentro... E invece!

Glielo faccio presente. S'inalbera, lo vedo che quasi si spaventa, si contorce:

– No! – mi dice, imperioso. – L'unico libro che non potrai mai leggere sono io!

Accidenti...

– Scusami tanto, Raimond... – aggiunge, con voce leggermente piú morbida, – ma è l'unica regola, l'unica legge che devi rispettare. Puoi leggere tutti i libri che vuoi, non hai che da scegliere. Ma non me.

Okay.

Non capisco, ma okay, non ne parliamo piú. Mi prendo *La nuvola Olga*.

È tutto scritto in stampatello. Reso mi dice che s'incomincia cosí, che lo stampatello è piú facile. Ma è un libro da bambini, e io sono vecchio. Gli dico che vorrei leggere un libro piú impegnativo.

Allora mi dà *I ragazzi della via Pál*.

E poi *Le mie prigioni* di Silvio Pellico. Che mi piace da morire, c'è il pezzo dove tagliano la gamba a Maroncelli. Mi fa pensare a Claire, a come opera bene lei.

E *Il giovane Holden* di Salinger, che ha uno stile che mi entra dentro e non se ne va piú via. Pensate che ogni tanto parli con quella voce lí? Avete maledettamente ragione.

Poi *Cuore*.

E *David Copperfield*.

E *Oliver Twist*.

E io...

E io non so cosa mi prende. Leggo! Voglio solo leggere. Non voglio fare altro nella vita, unicamente buttarmi tra le pagine, tra le storie, in mezzo alle parole e stare lí, perduto, in un angolo. Lasciatemi cosí. Non chiedo di meglio. Non disturbatemi mai piú.

A poco a poco divento Robin Hood.

Cyrano de Bergerac.

Il capitano Achab. Ma anche Moby Dick.

Don Chisciotte. E Sancho Panza. E il brutto anatroccolo. E Madame Bovary. E quel meraviglioso stronzo di Julien Sorel. E il piccolo Lord, il Principe ma anche il Povero. Divento i tre moschettieri (tutti e tre), Robinson Crusoe, Jean Valjean e la piccola Cosette. Divento Zorro, il conte di Montecristo quando finalmente scappa, che non ne potevo piú. Divento Nataša che balla col principe Andrej, il commissario Maigret, la Fata Turchina... Divento tutti.

Io non sono piú io quando leggo: sono tutti. Tutti gli uomini, le donne, gli asini, i cavalli, le salamandre... Sí, anche le salamandre. E i coccodrilli, le mosche, la Tour Eiffel, e il museo del Louvre con dentro il suo fantasma. Divento anche i fantasmi, gli assassini, i criminali mafiosi, e il vecchio e il mare, e Albertine, e la nonna di Marcel che muore... Divento tutta la gente del mondo, mi capite? Per questo, poi, non m'importa neanche piú di essere qualcuno o no, o di essere cosí o cosà. Non sono! Mi capite bene, è chiaro?

E questa cosa non l'avevo proprio mai prevista.

Non l'avevo neanche immaginata, perché come si fa a immaginarsela, una cosa simile, scusate? Voi ci riuscireste?

E anche Reso non se l'era immaginata. Rimane cosí basito che se ne resta lí a guardare, imbalsamato.

A un certo punto me lo dice:

– Ti sei incapricciato. Non pensavo...

È perfino un po' preoccupato. Si chiede se sto bene, se non mi è successo qualcosa.

No, non mi è successo niente. Mi hai insegnato a leggere? Bene! E adesso lasciami leggere. Cosa vuoi da me?

Insomma, io da quel momento non sono piú stato lo stesso. E Garibaldi me l'ha anche fatto notare.

Eravamo in piedi all'ombra del pino d'Aleppo. Io raspavo un po' nella terra, e lui faceva andare la coda a mo' di pendolo.

– Perché ti piace cosí tanto leggere? – mi ha chiesto.

Secondo me la covava da tempo, questa domanda. Non ci può credere che uno prenda cosí tanto gusto a fare questa cosa di leggere, da un giorno all'altro. In piú, l'ha vissuta come un'offesa personale. Da quando leggo, guardo di meno la luna con lui, questo è vero. Ma s'è messo in testa che preferisco i libri a lui. Infatti la seconda domanda che mi fa, prima ancora che io risponda alla prima, è:

– Ma non eravamo amici?

Come se i libri prendessero il posto degli amici, ma dài! Volete dirmi che chi legge non ha amici? Magari li vede meno, questo sí, questo può succedere...

Va be', andiamo avanti, la prima domanda era piú sensata. Mi concentro su quella.

Non avevo mai pensato che mi *piacesse* leggere, figurarsi il *perché*. Leggo e basta, mi viene. È un po' come con le siepi di alloro: mi piace da morire masticarmi quelle foglioline croccanti che hanno un gusto cosí particolare. Non so, diciamo che vado matto per l'alloro, okay? Ma non è che mentre mastico mi chiedo perché mi piace l'alloro, e cosa vuol dire, e tutte quelle storie!

Comunque, Garibaldi vuol sapere perché mi piace leggere? E io glielo dico, che problema c'è? Gli dico:

– Okay. Mi piace leggere perché, quando sei lí che leggi, puoi anche a un certo punto chiudere il libro, e stare con l'aria assorta. E non c'è piú niente che ti spaventa, la fame, i calci in culo, la paura di morire... Diventi assorto e buonanotte, sei andato da un'altra parte, chi ti trova piú?

Come mi sia venuto un pensiero simile non lo so, non chiedetemelo. Non mi capisco. Volevo dirgli tutt'altra cosa. Per esempio che quando leggo provo dei sentimenti che non ho. Per dire, quando ho letto di Sandokan che va a liberare la Perla di Labuan, mi è venuto un sentimento che non ho mai provato: il coraggio. Cioè, io non è che di coraggio ne abbia proprio da vendere. Però lí ho sentito che ce l'avrei fatta a salpare con i miei tigrotti, e poi avrei volentieri assaltato il castello, o cos'era, mi sarei calato da una corda e avrei combattuto con venti soldati o anche di piú, pur di liberare Claire. Dico lei perché è la prima perla che mi viene in mente.

Insomma, non gli dico niente delle cose che volevo dirgli, a Garibaldi, e invece gli dico quella cosa dell'aria assorta. Che è anche vera, cioè la penso veramente. Però secondo me gliel'ho detta perché mi piace dire la parola *assorto*. Che razza di parola è? Non è bellissima? Assorto.

Mi sa che Reso ce l'ha proprio fatta, accidenti a lui.

Capitolo 32

in cui Raimond sta per leggervi la famosa lettera terribile, ma prima di farlo vi legge l'ultimo blocco delle lettere di Guglielmo, dove vedrete che la storia con Martina precipita

13 marzo 2014

Caro Raimond,

l'altro pomeriggio Tonia mi ha scoperto!

Stavo facendo i compiti in cucina e lei stirava, come al solito. Mi stirava quasi addosso e mi veniva caldo con tutto quel vapore, un caldo cane. A proposito... sono undici anni che chiedo un cane. No, undici no, perché parlo solo da otto anni, neanche. Ho cominciato a parlare a tre anni e sette mesi. Tardi, lo so. Mio padre era convinto fossi deficiente. L'ho capito da come ride ancora adesso quando lo racconta. Mio padre pensa che io sia un deficiente anche ora. Comunque in realtà non volevo un cane ma un cavallo. Solo che ci sono certe cose che manco le chiedi, tanto sai che sono impossibili. Cosí spari piú basso subito, cioè te lo abbassi da solo, il sogno. Ad ogni modo io ho chiesto un cane praticamente appena nato. Perché si può parlare anche senza le parole, e io da piccolo il cane lo chiedevo col pensiero. E tutte queste notizie te le do perché cosí ci conosciamo meglio, mica per altro... Bisogna sempre dare la notizia! Questo lo dice la Garulla quando ci fa l'ora di Giornalismo (altra pizza megagalattica). E lo dice anche mio padre. Per forza, fa il giornalista...

Comunque Tonia mi ha scoperto.

È gravissimo!

Io stavo facendo i compiti di geometria, ma poi ho smesso perché mi era venuta voglia di scriverti. Allora ho tirato fuori un foglio e ho cominciato. Ma piano, di nascosto.

A chi scrivi?, mi chiede lei all'improvviso. Io faccio finta di niente e le dico che sto prendendo appunti. Ma lei ride e mette su l'aria furba. È lí che sta stirando una camicia, con tutto il vapore che esce, non può pensare alla camicia e basta? No, deve ficcare il naso nei fatti miei. Dài che scrivi a una ragazza! Allora non ci vedo piú, e le dico la verità, che scrivo al mio asino.

Apriti cielo!

Io l'ho detto perché non mi va che lei adesso si metta a pensare che ho una ragazza, mi dà sui nervi. Ma non l'avessi mai detto! È scoppiata a ridere che non la fermavi piú. Lei, poi, non hai idea di come ride. Ride con quel suono a schiocco, un frastuono della miseria. Avevo persin paura venissero i vicini a vedere.

Ho preso il foglio, il libro, i quaderni e il portapenne e me ne sono andato in camera. Non studierò mai piú in cucina. Ma ormai è fatta. Ora Tonia lo dirà a tutti.

14 marzo 2014

Caro Raimond,

Tonia non l'ha detto a tutti che scrivo a un asino, l'ha detto solo a sua figlia Dayana. Peggio che mai.

Infatti ieri sera mi vedo piombare Dayana in camera, che fa tutta la gentile. Io sono alla scrivania che finisco di studiare storia, lei prende una sedia, si mette vicino, mi chiede che argomento è, io le dico Carlo Magno. Lei allora mi dice che l'ha già fatto e quindi se ho bisogno di aiuto.

Aiuto? Non sto mica annegando nell'oceano, sto solo studiando Carlo Magno. Poi mi dice che se ho voglia di parlare lei c'è, lei c'è sempre. Anche se ho voglia di scriverle posso scriverle... A quel punto non si tiene, forse ha paura di non essere stata chiara abbastanza e mi dice che certe volte è meglio scrivere a persone vere, per esempio a lei. Cosí magari ti rispondono pure!, dice. E si mette a ridere come una cretina.

Questa è la prova. Ne sono certo, Tonia vuole che ci sposiamo, io e Dayana. Ma io neanche morto.

15 marzo 2014

Caro Raimond,

e invece Tonia non l'ha detto solo a sua figlia, magari...! L'ha detto anche a mia madre. Infatti ieri mia madre arriva tutta impettita e scura, ticchettando sul pavimento con i trilli dei suoi tacchetti a spillo, che mi fa venire un nervoso, quel rumorino, mi dà le scosse. Entra in camera e mi fa, di brutto:

Cos'è questa storia che scrivi a un asino?

Io non scrivo a un asino..., dico.

Eh già! E chi è allora questo Raimond?

Silenzio. Ci aveva sgamati, capisci?

Ti ho chiesto chi è Raimond!

Un amico...

Asino però! Tu scrivi a un asino, Guglielmo, ti rendi conto?

Cosa fai, mamma, mi leggi le lettere?

Cerco di passare all'attacco. Anche se, quando mia madre mi chiama Guglielmo e non Gulli, è dura.

Lascia perdere e rispondi! Scrivi a un asino?

Te l'ha detto quella ficcanaso di Tonia?

Me l'ha detto chi me l'ha detto, non è questo il punto! Ti sembra il caso?

Cosa?

Insomma Guglielmo, sei grande, sei intelligente... Ti abbiamo regalato un asino in adozione...

Appunto!

Appunto lo dico io! Un'adozione a distanza, Gulli! Hai presente cosa vuol dire a distanza?

Appunto! Se me lo regalavate a vicinanza non gli scrivevo.

Non ci ho visto piú. Mi capisci, Raimond? M'è venuto tutto un buio sugli occhi, un ronzio nelle orecchie, un gusto salato in bocca che se non sputavo tutto mi veniva male. Allora le ho sputato tutto: che volevo un cane, cioè un cavallo, è da quando sono piccolo che voglio un cavallo, ma vero, da andarci al galoppo per la campagna, chiaro? E Benedetta e papà non li sopporto, e Zachi mi rovina la camera, e in classe c'è questa Elisa che mi fa uscire scemo, e c'è anche un compagno alto e grosso senza orecchie.

Ma non le ho detto chi è veramente Dennis Cartozza, e che mi fa paura, e che io credo che un giorno o l'altro mi tirerà addosso qualcosa di enorme, ma non capisco ancora cosa, e dove me ne devo andare per non vederlo mai piú. Questo non gliel'ho detto.

E non le ho detto neanche di Martina, ovviamente.

18 marzo 2014

Caro Raimond,

stamattina è successa una cosa bellissima. Due ore fa, alle 12,45 per essere precisi.

Era l'ora di matematica ma la Fringuelli non c'era. C'era una supplente con i baffi che leggeva un giornale mentre la classe faceva casino.

Allora mi sono seduto vicino a Martina.

Sí, l'ho fatto, ci sono riuscito.

Raimond, batti il cinque!!

Cioè, non proprio vicino, mi sono seduto due sedie piú in là. Comunque molto piú vicino del solito, visto che siamo agli antipodi, come posti nel banco. E comunque ci ho messo quarantacinque minuti a decidermi. Però ce l'ho fatta.

L'ho guardata. Mi son messo lí e l'ho guardata. Fino a che lei non si è voltata e ha visto che la guardavo. Ha sorriso e ha abbassato gli occhi. Allora ho capito che anche lei mi ama, e le ho detto:

Hai una gomma?

E lei mi ha risposto:

Da masticare?

No, da matita.

Della gomma ovviamente non m'importava un fico. L'avevi capito, no? Mi sono avvicinato. Ero lí, in piedi. La classe era un inferno. Urla, palline tirate ovunque, musica a tutto spiano. C'era la supplente, te l'ho detto.

Prendo la gomma e le faccio: Oggi sei libera? Verresti mica a vedere il mio asino?

Non so perché gliel'ho detto. Era per non andarmene subito dopo la gomma. Per non rendere inutile quella gomma, che sarebbe finito tutto lí e invece non doveva finire. Lei ha fatto la voce squillante, le si sono allargati gli occhi e ha detto un sí gigantesco. Allora io non sapevo cosa fare, perché non gliel'ho confessato che tu sei solo a distanza. Mi sono seduto e le ho detto: Oggi veramente magari no... Però se vuoi te ne parlo un po', di questo mio asino...

E cosí le ho parlato di te.

Per diciotto minuti. Cioè ho continuato persino tre minuti dopo la campanella. Le ho detto tante cose. Come sei, dove abiti, che ti chiami Raimond, che io ti dico tutto, che ti scrivo... Lei era davvero molto interessata, mi guardava, e aveva un sorriso...

Gli scrivi?, mi ha detto, con gli occhi sgranati a palla.

E lí ho capito che la stavo conquistando, letteralmente. E allora le ho parlato anche del mio *Liocarcinus vernalis*, e dei crostacei. E abbiamo persino fatto le scale insieme, all'uscita!

Però al cancello lei ha girato a destra e io invece a sinistra. Perché io devo andare a sinistra, quando esco da scuola, il mio pullman è di là. Mi sono chiesto se non girare a destra anch'io per una volta, e prendere il suo, di pullman, magari far finta che abito dalle sue parti. Ma ci ho messo troppo a chiedermelo, lei era già sparita, a destra.

Comunque, Raimond, è stata la piú bella mattina della mia vita!

Grazie...

19 marzo 2014

Caro Raimond,

sí, ho fatto proprio bene ieri a sedermi vicino e parlarle, l'ho proprio conquistata! Sai cos'è successo infatti stamattina, alle 7,55? Che Martina è venuta da me, mi ha preso per la manica e mi ha detto all'orecchio: Domani alle 10 vieni alle macchinette che ti devo chiedere una cosa.

Le macchinette sono le macchinette del caffè e delle coche. Quando mi ha parlato mi ha sfiorato l'orecchio e io ho sentito un caldo... La cosa che mi deve chiedere è se io la amo, ovvio. E io le dirò di sí e le prenderò una mano nella mia, e poi forse le darò un bacio, sulla bocca. Forse. O forse sulle fossette della bocca, facciamo cosí.

Adesso deve solo arrivare in fretta domani, che non resisto.

Guglielmo

20 marzo 2014

Invece Martina mi ha chiesto se per piacere le scrivevo una lettera per Fabio.

Io passo le due ore di mate col cuore in gola, non ascolto neanche mezza sillaba, meno male che non mi ha interrogato, appena suonano le 10 mi fiondo alle macchinette, e lei mi dice questa cosa di Fabio!?

Fabio Fasti!! Quella mezzasega della II D! Si è innamorata di lui! E lo viene a dire a me!

Mi fa tutto un discorso che lui la ama e anche lei adesso lo ama da morire, che lui le scrive delle lettere bellissime, su una carta speciale, con una stilo speciale, tutte quelle balle lí per niente speciali, e lei non è capace di rispondergli, non sa scrivere, prende sempre 5/6 di tema, non le viene mai niente, e invece io nei temi sono bravissimo, e se per piacere quindi gliele scrivo io le lettere a Fabio, almeno una.

Ho una sensazione precisa: qualcuno sta stringendomi il cranio in un cerchione di ferro. Mi pulsano le tempie, e non so dove guardare, dove mettere questi benedetti occhi. Cosa faccio? Cosa le rispondo?

Le dico: Sí, va bene.

Capisci? Le ho detto di sí, che gliele scrivo volentieri le lettere a Fabio. E allora lei mi ha abbracciato. Mi ha buttato le braccia al collo e forse mi ha anche dato un bacio, non me lo ricordo, e io allora ho pensato che andava bene cosí, lo capisci, che cretino che sono, Raimond? E adesso scusa, vado a scrivere la lettera a questo Fabio...

Va be', lasciamo perdere che se no mi prendo un martello e mi fracasso la testa.

Ciao, ci vediamo,

Tuo Guglielmo cretino

22 marzo 2014

Caro Raimond,

ci ho messo due giorni ma ci sono riuscito.

Non è nemmeno venuta di schifo. Secondo me fa anche un po' piangere. Per esempio quando gli dico che io la sera da bambina mi sono sempre sentita sola come la luna, e adesso che c'è lui invece m'immagino che un giorno mi porterà lui sulla luna e sarà bellissimo.

Non so come mi vengono, certe cose. Magari la luna me la potevo risparmiare.

Forse è perché vorrei portarla io, sulla luna. E allora mi è venuto che lei vorrebbe che lui la portasse. Lui cioè io... Cioè, quel Fabio, non io purtroppo.

Non lo so cosa sto dicendo, Raimond, non lo so.

Comunque stamattina gliel'ho data, la lettera per Fabio, e lei era cosí contenta. Mi ha fatto un sorriso da una fossetta all'altra che non t'immagini nemmeno, un sorriso cosí... cosí... Secondo me ne è valsa la pena.

Guglielmo Strossi

29 marzo 2014

Caro Raimond,

sí, ne è valsa la pena, ma solo fino a martedí. Fino a martedí compreso, eravamo diventati molto amici, Martina e io. Ci siamo visti a tutti gli intervalli alle macchinette, e certe volte all'uscita lei mi ha anche aspettato fuori dalla classe per fare le scale insieme. Fino a martedí ho pensato: ho fatto proprio bene a dirle di sí. Le ho scritto quasi una lettera al giorno per il suo Fabio, mi sono venute anche bene, mi sono fluite, capisci? Perché ho fatto cosí: ho scritto le cose che vorrei che lei scrivesse a me, e ha funzionato benissimo.

Troppo!

Ha funzionato cosí bene che mercoledí all'inizio dell'intervallo vedo Fabio Fasti che viene in classe nostra zoppicando. Cerca Martina, le chiede se lo accompagna alle macchinette. Lei stava per venire con me e invece ci va con lui. Li seguo. Non mi convince per niente la cosa. Lui le chiede se per piacere gli seleziona una coca. Cos'è, ha male al piede o alla mano?, ho pensato. È invalido che non riesce a prendersela da solo la coca? Poi lui mette un'altra monetina e le dice che può selezionarsi la bibita che vuole, gliela offre. Gliela offre, sai che sforzo! 60 centesimi! Invece lei s'illumina neanche le avesse regalato un castello vista mare, e gli dice un grazie da paura, di quelli che ti allargano l'anima. Infatti lui cosa le fa? La bacia. Lí, davanti alle macchinette. Davanti a me…

Da mercoledí Martina gli intervalli li fa con lui, non piú con me. Fabio la aspetta davanti alla nostra classe, la prende per mano e vanno insieme alle macchinette come due piccioncini.

Ho cominciato a pensare a un piano. Ho lasciato passare tre giorni, poi ho agito.

Non ho trovato niente di meglio che mostrarle te. Cioè, il certificato di adozione con la tua foto. Le ho anche detto tutto quello che ti scrivo nelle lettere. Volevo farle una confidenza molto grossa, farle vedere quanto lei conta immensamente per me. E lei infatti s'è commossa ed è scoppiata a ridere. Ma ridere bello, da complice, non che mi prendeva in giro. E io ero contento di averla fatta ridere, mi sembrava d'averla un po' strappata a quel suo Fabio. Vedrai che gliela strappo, Raimond! Lunedí forse le chiedo se viene a vedere i miei album di crostacei. Forse…

Intanto adesso ciao, a presto,

Tuo Guglielmo Strossi

31 marzo 2014

Caro Raimond,

cancella tutto! Martina mi ha tradito.

Oggi quando sono entrato in classe tutti lo sapevano!

C'è stato un coro… un coro… hai capito, no? Si sono messi a ragliare! E Zampella è andato anche alla lavagna a disegnare un asino con le orecchie lunghissime. E sotto ci ha messo il mio nome! Cioè… Ulligulli.

È stata Martina per forza, chi se no? Non l'ho detto a nessun altro a scuola, che ho un asino…

Perché l'ha fatto? Io mi fidavo di lei… Eravamo amici…

Mi piacerebbe tanto chiederglielo perché, ma poi mi

dico lascia stare, che scena patetica. Io non voglio farle pena, lascia stare. Sono un pirla.

2 aprile 2014

Caro Raimond,

oggi arrivo a scuola e mi trovo la banda schierata al cancello. Dennis Cartozza davanti, gli altri tre dietro.

Chiaro che sono lí per me.

Appena arrivo partono a farmi il verso dell'asino, ma forte che si sente fino a Roma. Non reagisco, non li guardo neanche. Prendo la porta laterale, ma loro dietro. Tutta la scuola che li sente, e ci vede, io che devio, cammino piano, loro sempre dietro, a farmi il verso. Fanno anche il gesto delle orecchie, la coda. Tutti che si voltano, che ridono. Ma sai quel ridere da indifferenti, non quel ridere di gusto per davvero... Sai quando gli altri ridono di te ma pensano ai fatti loro perché di te non gliene frega niente...

E poi di colpo ho paura che mi abbiano ripreso. Ho paura che mi mettano su facebook. Una foto, un video. Se mi filmano sono finito, mi mandano in giro per il pianeta con il raglio in sottofondo e addio...

Chiedo a Agnese Barri, una della II D, come si fa a bloccare un video. Perché, quale video?, mi dice. Niente, lascia stare... Siamo un po' amici, Agnese Barri e io, ma solo un po'. Lei è piú grande. È ripetente, ha due anni in piú. Mi protegge, certe volte. Ma solo certe volte.

Vado su facebook. Che fortuna, non c'è ancora niente.

Adesso però ho la testa piatta che è un deserto. E lo stomaco che mi brucia, non so cos'ho lí dentro, un fuoco di spini irti, un istrice... Mi sono ingoiato un istrice.

A chi lo dico?

A mio padre?

Alla preside?

Alla Garulla?

A mia madre?
Dici a mia madre? E come glielo dico? Sai mamma, mi prendono in giro perché ho un asino…
Ma tu non hai un asino, Gulli, l'abbiamo solo adottato.
Sí, mamma, ma loro non lo sanno.
Ma loro chi? Cosa stai dicendo?
No, non ci capirebbe niente, mia madre. E mentre mi parla penserebbe sicuro a una qualche metafora nella letteratura, nella musica, pittura o altre sue menate… No! Mia madre lasciamola perdere…
Mio padre mi direbbe che non so stare nel mondo e amen.
E la preside ancora peggio, mi direbbe: Adesso ci pensiamo noi, devo riunire il consiglio, convocare i tuoi genitori…
Alla Garulla invece parlerei volentieri… Sí… Magari lo dico alla Garulla, dài! Ha anche due figli, può capirle certe cose… La aspetto domani all'entrata e le parlo.
E come inizio? Buongiorno, ha mica due minuti?
No. No che non ha due minuti, è sempre di corsa, deve fare le fotocopie.
Allora vado dritto al punto: Lo sa che ieri la banda mi ha preso in giro perché ho un asino?
Non va bene, mi direbbe: Ah, Strossi, ma davvero hai un asino? Ma che carino…
No, devo essere piú tragico: La prego, mi aiuti! Solo lei mi può salvare…!
No, troppo. Cosí chiama la polizia. E poi se la prendono con Dennis Cartozza che dopo, per vendicarsi, mi fa a pezzi e butta i pezzi nel cassonetto.
Mi resta Zachi.
Ma si può parlare con uno che ha quattro anni e vive steso sul pavimento a colorare orsi?

Capitolo 33

in cui Raimond finalmente (siamo a pagina 153!)
fa la cosa per cui ha cominciato a raccontarvi tutto,
cioè vi legge la cosiddetta «lettera terribile»

Adesso vi leggo la *lettera terribile*.

Okay.

Vi ricordo solo che l'ho letta per prima.

Ieri sera.

Quando Frido me l'ha portata ieri mattina l'ho presa e l'ho messa come sempre sull'orlo della mangiatoia, insieme alle altre. L'ho impilata, anche lei. Sapete quei gesti un po' automatici, che uno fa cosí, senza pensare: Frido arriva, mi dà una lettera e io la metto al solito posto. E cosí ho fatto anche ieri.

Poi invece mi fulmina questo pensiero che so leggere. Accidenti a me! Ecco perché la leggo, questa lettera. Perché mi lancina questa verità, o mi balugina, come si dice? Insomma è uno squarcio: io adesso leggo. Mi dico: leggo libri, posso leggere anche lettere. Chiaro. Passaggio logico elementare, non fa una piega. Non ci pensavo. Succede che uno non ci pensa, che sa fare una cosa, se non ci ha fatto ancora l'abitudine.

E insomma ieri la apro. L'ultima lettera che è arrivata. Uguale alle altre, precisa identica: bianca, lunga, scritta in blu. C'è un foglio ripiegato, anche lui scritto in blu. Lo dispiego. È bellissimo dispiegare il foglio di una lettera. Con i libri per esempio non si può fare.

La *lettera terribile* comincia come le altre: *Caro Raimond* virgola.

Ma racconta una cosa terribile, appunto.

La leggo.

Poi la rileggo
La poso.
Sto un po' cosí, fermo.
Guardo fuori.
Passa una moto.
Non so perché passa una moto. Proprio in quel momento. Mi taglia il mondo in due. Il mondo che sto guardando. Ma non sto guardando. E non sto neanche pensando a qualcosa di preciso. Sto, e basta. Sto come quando si finisce di leggere una lettera, di uno che l'ha scritta proprio a te, perché voleva dire proprio a te una cosa, una cosa terribile, che adesso ti ha detto.

E io son qui che non so perché passano le moto. Ma passano. E il mondo adesso è diviso in due. Per sempre.

Esco.

Mi faccio un giro sullo spiazzo. Ho questo bisogno improvviso di uscire perché mi sembra che mi manchi l'aria, e mi sembra anche di esplodere se non vado fuori, come se qualcuno mi avesse messo una bomba dentro.

Cosí esco.

Poi rientro quasi subito, però, perché non sto bene da nessuna parte.

Prendo le altre lettere e le leggo tutte, una dopo l'altra, a raffica. Dalla penultima fino alla prima. A ritroso, ve l'ho detto. Cioè le leggo all'indietro, come le ho impilate. Sono ordinate cosí, le leggo cosí, fa lo stesso.

No, non fa lo stesso. Avete mai letto un fascio di lettere *a ritroso*? Be', provate! Leggerle al contrario – poi quelle lettere lí, che ho ricevuto io! – non fa lo stesso, ti viene il crepacuore. Perché non ci capisci niente ma vuoi capire, vuoi vedere com'è andata, cioè com'è cominciata tutta questa storia marcia che ti fa venire il crepacuore...

Adesso per favore me lo dite voi cosa devo fare. Per questo vi ho raccontato tutto.

Adesso voi vi sedete comodi, tranquilli, e io vi leggo questa lettera. State zitti e fermi, ascoltate.

4 aprile 2014

Caro Raimond,

adesso va un po' meglio... Si fa per dire... Adesso è quasi sera e non ho piú vomitato...

Davvero, non ho piú avuto il vomito neanche un po'... Sono a casa, ho anche mangiato qualcosa. Cioè, si fa per dire... Ho fatto finta. Con Tonia, in cucina. Ho mangiato un po' di pasta al sugo riscaldata. Ma mi veniva ancora un po' il vomito, cosí ho smesso subito e le ho detto che avevo mal di pancia, tanto è abituata.

Quell'odore di piscio, Raimond... Adesso ti posso scrivere. Finalmente.

Non ho detto niente a nessuno... Non posso. Come faccio?

Domani non ci torno a scuola. Non ci torno mai piú. Mi faccio venire il mal di pancia eterno.

Si sono trovati fuori dalla classe, nell'intervallo. Poi sono entrati. Io non me ne sono accorto, avevo il solito panino al salame, me lo scartavo. Avevo anche preso sei di geografia, ero contento. Poi li vedo. Appoggiati alla finestra, Dennis Cartozza, con la sua solita felpa con il teschio, Mingherlo e gli altri. Sghignazzano, e hanno questo enorme cartello in mano di un asino gigante. Vado dritto in corridoio, ma non c'è scampo. Mi arpionano alla camicia. Vogliono farmi la foto con l'iPhone, io che rido accanto a quel cartello. Mi fanno il verso hi-ho, hi-ho... Mi danno gomitate, spinte: Ridi! E ridi! Siete amici, no? Gulli e l'asino, l'asino di Gulli, amici per la pelle... pelle d'asino!

Dico di no. Uno mi lega le braccia dietro la schiena, gli altri spingono. Non posso urlare, mi dicono: Se urli ti spacchiamo in due. Nessuno vede, fanno tutti l'intervallo... Meglio che nessuno veda. Nessuno salva mai nessuno. Nessuno vede mai niente...

Mi portano nel bagno in fondo. Mi tengono fermo, vogliono che faccia questa foto. Ma io piego il collo piú che posso, e metto giú la testa, cosí la foto non può venire, cosí anche se la fanno non sono io, la mia faccia non è la mia...

Allora mi danno calci e gomitate, sotto il mento, per farmi alzare la testa. Ridono ancora e poi Dennis Cartozza fa questa cosa. Mi dice: Ah sí? Vuoi tenere la testa giú? Ti aiutiamo noi!

Mi prende per il collo, mi spinge nel water.

Mi spinge... nel water... Prima non riuscivo a dirle, queste parole. Adesso che ti scrivo sí.

Mi tiene giú non so per quanto, un secolo. Sputo, tossisco. Quando mi tira su non respiro. Vomito. Mi lasciano lí. Vomito ancora.

Raimond... mi hanno messo la testa nel water... hanno spinto giú fino in fondo... ho chiuso gli occhi, la gola... ma l'acqua poi mi è entrata... ho preso una boccata... sa di merda... e di piscio... soffoco Raimond... Ma tu dov'eri?

Mi sono fatto otto docce ma non basta. Non basterà mai piú, non se ne va, l'odore. Ce l'ho nel naso, nelle ossa.

Sono anche andato fuori, nel giardino condominiale dove ci sono i pini. È pieno di pini, qui. Alti come il cielo. Io li odio, i pini. Ma hanno un odore buono, di resina, di bosco... Ho raccolto da terra un po' di aghi e me li sono massaggiati addosso, sul collo, le braccia. Era l'odore del Natale... Vorrei sapere di pino, di muschio... Adesso cosa faccio? Raimond... quando vieni?

Guglielmo Strossi

Capitolo 34

in cui Raimond ricapitola e non si raccapezza

Mi sono messo fermo, con le mie quattro zampe ben piantate nel terreno, ho preso aria dalle narici piú che potevo, e ho chiuso gli occhi.

Dunque, allora, io sono un asino. Sono l'asino di Guglielmo. Lui mi ha adottato. Cioè, non è andata proprio cosí, ma fa lo stesso. Lui mi butta addosso tutto questo suo dolore da incubo, e mi chiede quando arrivo. Giusto, no? A chi lo dovrebbe buttare addosso? A me. Sono il suo asino adottato mica per niente. Okay.

Ma io *come* ci arrivo?

Mi è partita una rabbia dagli zoccoli che mi è salita per i nervi e mi ha attraversato la spina dorsale. Mi veniva da spaccare tutto, mordere, scalciare...

Mi sono messo a ragliare con quanto fiato avevo in gola, a tirar calci contro il cielo, contro l'aria. Se solo passavano i turisti in quel momento li facevo secchi.

Poi mi sono calmato.

Ed è lí che ho tirato giú tutte le altre lettere dall'orlo della mangiatoia. E le ho lette a ritroso.

Ma a voi le ho lette tutte in ordine una dietro l'altra, piú o meno. Vi ho anche raccontato un po' la mia storia, okay, l'ho fatta lunga, ma solo perché se no si può sapere cosa ci capivate? Adesso mi conoscete e le lettere le avete ascoltate, cosí ci pensate bene su, e poi mi dite cosa fareste voi al posto mio.

Ma un pochino in fretta, per favore. Perché non abbiamo tutto questo tempo.

Capitolo 35

in cui Raimond vi rimprovera molto, ma poi se ne fa due baffi di voi, e decide lui cosa fare

Sono stato ad ascoltare. Un bel po', in silenzio.

C'era il vento tra i rami, le macchine lontane sulla strada, i soliti uccelli notturni, che non ho mai visto ma sento sempre, chissà dove si annidano. C'erano anche certi scrosci d'acqua che viene giú da chissà dove, scarichi, cascate, che ne so? Rumori. I rumori della notte, poi del mattino, poi del pomeriggio...

Ma voi niente.

Voi non mi avete detto una parola.

E adesso è di nuovo sera.

Vi avevo chiesto aiuto, ero stato chiaro.

Vi avevo detto: Sentite, adesso vi racconto cosa mi è capitato, cosí voi mi dite cosa fare. Vi ho raccontato questa storia pazzesca, dove sono finito, con chi, questo paese, il libro, la mia isola, queste lettere e tutto quanto. Ve le ho lette quasi tutte, le lettere di Guglielmo, compresa la *lettera terribile*. E adesso lo avete capito, che asino sono. Sono l'asino di Guglielmo. E Guglielmo ha bisogno di me.

Lasciate perdere che lo so da poco. Vi ho già parlato dei binari paralleli, no? Il punto è che ognuno di noi è un treno che crede di correre da solo nella notte, e invece sui binari paralleli è tutto pieno di treni come lui. Lasciate perdere.

Cioè, vi sembra giusto? Ho passato mesi qui a far niente, a imparare a essere felice di far niente, quattro boccate di biada al mattino presto con Garibaldi, i miei giri con Reso, due chiacchiere con gli altri, e invece c'era uno che mi aveva adottato. C'era qualcuno, capite? Qualcuno che dall'altra parte dell'universo mi pensava, mi scriveva. Mi chiamava!

Certe cose bisognerebbe saperle. Bisognerebbe che qualcuno ce le dicesse.

Be', comunque. Vi avevo chiesto di dirmi cosa fare. Un parere, due parole in croce. Perché, se uno riceve queste lettere, se legge cosa gli scrive questo ragazzino, se scopre di essere un asino adottato, può vivere come prima?

Ve lo chiedevo perché io, fosse per me, sarei già partito. Ma non vorrei sbagliare. C'è questo fatto che sono un asino. Sono un asino vecchio, che non è piú buono a niente.

Eppure io, di mio, andrei subito a scaraventarmi giú in picchiata su quella scuola, mi ci fionderei e farei uno sconquasso tale...

Come facevo da piccolo, che rotolavo giú dalle scarpate. Sceglievo la stradina piú dirupata, tutta pietre e polvere, prendevo la rincorsa e giú come una valanga, travolgevo anche le piante, i rovi, i massi... Tutto rotolava con me fino alla fine. E mentre rotolavo, vedevo il mare. In basso, che mi luccicava. Luccicava solo per me, con tutto quel suo sole dentro. Perché il mare ce l'ha dentro il sole, mica fuori. Lo manda in superficie un po' per volta, mai tutto. Noi vediamo solo scaglie, di luce, il resto se lo tiene il mare. L'abisso, cosa vi credete?, è un sole che diventa blu profondo, solo questo. Se lo andassimo a vedere, non ci farebbe piú tutta questa paura.

Comunque, voi, niente.

Zitti totali.

Silenzio.

Okay, grazie.

Va bene cosí, fine.

Solo una cosa, poi con calma, quando vi va: se questo me lo spiegate, dico questo vostro non dirmi niente. Mi piacerebbe.

Adesso però facciamo cosí: vado a farmi un giro.

Vagabondo in questo fantasma di paese muto, ed è notte, sí, ve l'ho detto che è notte, e sarà questa notte che mi sento addosso, o perché a un certo punto passa una civetta, e mi sfiora, o sento solo l'aria che si smuove, una di queste civette nere o barbagianni, non so mai cos'è, se devo aver paura o cosa, poi invece passa e non era niente.

Insomma, mi metto a immaginare cosa sarebbe se morissi. Vi è mai capitato? A me no. Cioè, non come adesso. Mi viene da immaginare di annegare, questo sí. Ma è solo quando penso a Agata. È il mio modo di pensare forte a lei, che sbatterei la testa contro il muro per il dolore di non averla piú. Allora m'immagino di cadere in mare. Non sapete quante volte nella vita me lo sono immaginato, di sprofondare per chilometri. Di non respirare piú, di soffocare, mi vedo proprio l'acqua che mi entra nella bocca, nelle orecchie, nelle narici, prende il posto dell'aria e non c'è piú lo spazio per un respiro, niente. Cosí muoio.

Non sapete quante volte sono morto. Ma era solo il mio modo di stare con Agata, di accompagnarla mentre moriva.

Invece adesso m'immagino di morire nel senso che non ci sono piú, sono proprio morto e basta. Cioè, per gli altri non ci sono piú, ma io mi sento vivo: solo che mi ritrovo morto. Mi hanno nascosto da qualche parte e nessuno mi trova piú, mi cercano, tutti lí che mi cercano. Ma io veramente ci sono ancora, da qualche parte che non so, ci sono. Infatti mi fa male l'idea d'essere morto, non mi va per niente.

Questo pensiero non l'avevo ancora mai avuto, di non voler essere morto. Mi scatena una ribellione, una rabbia: io non sono ancora cosí finito, che mi potete mettere da parte e buonanotte. Io ci voglio stare ancora, al mondo, se non vi spiace.

E allora lo vedete che non importa piú, se non mi dite niente? Me ne faccio due baffi. Perché, sapete una cosa? Ho già deciso cosa fare. Non ho bisogno di pareri e tutto quanto. L'ho deciso adesso, e basta. Anzi no, sapete un'altra cosa? L'avevo già deciso subito, appena ho letto la lettera del water e tutto il sangue m'è andato in testa. Lí ce l'ho avuto proprio chiaro, cosa fare.

Cosa credete, che avevo bisogno di voi?

Capitolo 36

in cui Raimond si accorge di essere in tre,
e si ricorda di una frase di suo padre

Quando comunico al mio amico Garibaldi che parto, lui mi guarda. Non mi chiede neanche dove vado, mi dice che viene con me.

È l'alba. Ci facciamo questa biada insieme, per colazione. Non ci diciamo quasi niente. Al mattino cosí presto è bellissimo non dirsi niente e lasciare che la luce salga e il giorno a poco a poco si metta a incominciare. Cosa puoi mai dire quando un giorno sta incominciando? Solo va be', vediamo un po' cosa ci porti.

Però adesso Garibaldi mi dice che vuol venire anche lui. Non sa neanche dove, a fare cosa. Non gli ho ancora raccontato niente, di Guglielmo, che mi ha adottato e tutto quanto.

Non gliene ho parlato perché come si fa a dire che qualcuno ti ha adottato? Non è una cosa facile. Ho letto dei romanzi, bambini orfani, abbandonati, malati, magri, denutriti, maltrattati, che sognano di trovare una famiglia e poi la trovano e diventano bambini felici, almeno un po'. Sono storie che mi fanno sempre piangere. Ho passato pomeriggi interi a piangere, certe volte. Ma le ho lette e basta, queste storie, finiva lí. Trovarmici in mezzo io è un'altra cosa.

Comunque, adesso gli racconto bene tutto, a Garibaldi, non è giusto che non sappia, è mio amico. Anche perché cosí lo capisce, che è una cosa che devo fare io, lui non c'entra. Nessuno c'entra.

Mi sta a sentire, ma poco. Vedo che sbuffa dalle narici, che diventa torvo. Non mi lascia neanche finire:

– Non ce la puoi fare da solo, – dice. – Vengo con te e basta.

Mi chiede, serissimo, dov'è questo Guglielmo. Gli dico quel poco che so, il nome della scuola. Raspa con la zampa nel terreno. S'infiamma. Diventa il Garibaldi di una volta, quello che ha scavalcato tutte quelle sbarre ed è scappato dal macello. E adesso certo che mi accompagna. Certo che la faremo insieme questa impresa. Non posso mica fermarlo, Garibaldi.

Alle otto in punto arriva Reso. C'è vento. Stamattina c'è un vento vorticoso, che mulinella tutte le foglie intorno, le foglie morte. Non sembrano neanche piú cosí morte, tanto mulinellano. Ci mettiamo contro il muro tutti e tre, al riparo.

Vediamo arrivare i turisti in gita. Come al solito, vengono a trovare noi asini, a fotografarci. Stamattina, poi, siamo un bersaglio facile, noi tre, belli schierati contro il muro in posa. Sembriamo fatti per essere fotografati, due asini e un libro. E infatti, ci piove addosso una gragnuola di clic e di flash.

Mi sento stanco, inerme. Siamo cosí inermi tutti quanti. Ci becchiamo questa raffica di foto, le dita puntate, gli *oh* di meraviglia. E nel frattempo racconto tutto a Reso.Gli faccio il resoconto della storia di Guglielmo, preciso, dall'inizio. Ci metto anche piú tempo che con Garibaldi, perché Reso è pignolo, pretende i dettagli, vuole sapere tutto. Mi chiede se ho una foto del ragazzo, per dire... Mi spiega che i libri illustrati sono meglio dei libri senza neanche una figura. No, non ce l'ho una foto di Guglielmo.

– Va bene, non importa, lo vedrò di persona.

Inutile chiedergli in che senso. È chiaro: viene anche lui con noi. Dice che vuol venire a far casino a scuola insieme a me e a Garibaldi. Dice proprio cosí:

– Va bene, dài, andiamo a fare un po' di casino.

Uno non se le aspetta, da un libro, certe cose.

Sono mesi che mi vuol convincere di quanto è bello essere inutili, mi porta di qua e di là per imparare, per prendere distanza, guardare la luna, giocare ai birilli... Non sa piú cosa inventarsi, e adesso viene con me a vendicare un ragazzino?

– Non ti ho mai insegnato a giocare ai birilli, – dice.

– Dài, Rai, se vuole venire... – s'intromette Garibaldi. E neanche questo mi aspettavo, che facessero comunella.

– Come sarebbe «se vuole venire»? È un libro, Gari, dai i numeri? Un libro!

– Appunto, mettiti nei suoi panni.

Okay, ho capito, siamo in tre.

Decidiamo che io e Reso guideremo la spedizione. Lui a cavallo, su di me. – *Lancia in resta!* – Si mette a urlare questa cosa della lancia in resta, chissà dove l'ha presa, e io lo lascio dire, cosa devo fare? S'è un po' gasato.

Parliamo ancora un po' tutti e tre insieme, delle strategie. Cosa fare, come arrivare. Soprattutto come trovare quella benedetta scuola, senza sbagliare strada. Garibaldi dice che si procurerà delle cartine stradali. Lo guardiamo increduli.

E Reso:

– Va bene, allora io mi studierò le strategie di attacco.

Rimango zitto. Siamo due asini e un libro, cosa mai possiamo fare? Giusto quattro calci e un raglio ben suonato, Garibaldi e io. E Reso? Scompaginerà le pagine, rotolerà per strada, si butterà a bomba contro qualcuno?

A un certo punto ci lasciamo, abbiamo troppi pensieri. E per starcene muti insieme, tanto vale stare ognuno per conto suo a rimuginare. *Qualcosa sarà ben di noi!* E questa è una frase che diceva sempre il mio papà. Aveva una sua tristezza, fonda, come una nebbia. Un buio dentro, non c'era niente da fare. Mia madre gli andava vicino facendogli le moine, o gli raccontava certe sue bravate che facevano proprio ridere. Ma lui metteva quel suo collo giú e non c'era verso. Solo dormire gli faceva bene. Era sempre il primo a svegliarsi, papà, quando era ancora buio. Si metteva fuori, si godeva le stelle mentre se ne vanno. Era il suo spazio per far andare i pensieri, l'unico momento della giornata. Io un po' ho preso da lui, lo penso anch'io che ci vuole un momento cosí in ogni giornata, fermarsi e guardare l'aria. Mia madre glielo diceva, quando usciva e lo trovava lí sull'erba, sognante: Cosa fai, Demetrio, guardi l'aria?

Qualcosa sarà ben di noi, rispondeva mio padre. E sospirava. Non era paura, ma neanche speranza. Lui era uno concreto, si affidava: soprattutto in certi momenti della vita lasciava correre le cose dove volevano, e si affidava. A chi si affidava non l'ho mai capito.

Capitolo 37

in cui l'esercito,
che fino a un secondo prima non sapeva di esistere,
esiste

Non mi son mosso. Ho cincischiato tra la casupola e il prato, facendo niente.

Ho deciso di riposarmi, tanto non partiamo subito. Bisognerà muoverci appena fa buio, perché il posto è lontano e a scuola dobbiamo arrivarci per le otto meno un quarto, massimo otto meno dieci. Questa è l'unica cosa che ho chiara. Bisogna arrivare giusti, non un minuto di piú e non uno di meno.

Vi sto ancora parlando? A voi, che non mi avete risposto niente, che non avete aperto bocca... Cosa racconto a fare? Ascoltate, non ascoltate?

Però, visto che ho iniziato... Mi dispiace per la storia, non mi sta bene lasciarla lí per aria. Quindi va be', continuo.

Allora, vi dicevo, non mi sono mosso, e adesso Garibaldi e Reso stanno tornando da me.

È l'ora di pranzo, ci mangiamo quattro fili d'erba, tanto ormai siamo una squadra. Poi ce ne stiamo seduti buoni e tranquilli, io, Reso e Garibaldi. Il vento s'è un po' smollato adesso, e c'è anche una specie di solicchio che ci scalda, cosa vogliamo di piú? Stiamo cosí, contro il muro, occhi chiusi, a goderci quel calore.

Invece a un certo punto qualcosa ci distoglie.

Scalpiccii, vocii, trambusti vari. Vediamo arrivare una schiera di persone, che corrono. Sentiamo sempre piú vicino il rumore dei loro passi, cadenzati, e anche una specie di fruscio ritmico, come un suono di monete, o sassolini che sbattono l'uno contro l'altro.

Arrivano dritti verso di noi, portando con sé tutte le conchiglie che sballonzolano dentro i sacchetti a ogni passo, sembrano di porcellana. Tutte le conchiglie che hanno raccolto nella vita, racchiuse in quei sacchetti, bisacce, buste di stoffa, zainetti appositi. Cosa se ne fanno? Cosa se le portano dietro a fare?

– Abbiamo saputo dell'impresa, – dice il primo della fila. – Combatteremo al vostro fianco!

Nostro fianco? L'impresa? Combattere? Ma cosa dicono?

– Tireremo le nostre conchiglie addosso al nemico!

Nemico? Sono impietrito. Come hanno fatto a sapere?

– Gliel'hai spifferato tu? – chiedo a Garibaldi.

Garibaldi fa di no con la testa, torvo.

– Allora sei stato tu! – mi rivolgo a Reso, che sta lí appoggiato al muro e non fa una piega.

– No di certo, – risponde quasi offeso.

Okay. Da questi due non ne verrà fuori niente.

I raccoglitori di conchiglie intanto fremono. Si sono disposti in fila per quattro, sembrano un plotone sull'attenti. E stanno lí, fermi. Guardo il vento che gli scompiglia i vestiti, i capelli.

Dall'altra parte della strada sentiamo arrivare un fragore improvviso, come un carro armato che si avvicina. Poi vediamo spuntare una specie di casa viaggiante. No, è una barca, un'enorme barca con le ruote, e a prua un gigantesco, multicolore spinnaker.

Dunque... una barca a vela gigante con le ruote, piena di creature che schiamazzano mentre il vento gonfia la vela e le fa andare a una velocità folle. Chi diavolo sono? Davanti a noi inchiodano, con forte stridore di freni. La vela di colpo si affloscia e dalla barca scende qualcuno: è Margherita, col suo fiore nei capelli, che guida i costruttori di aquiloni.

Mi chiede se mi piace, la loro costruzione, ne sono tutti cosí fieri. Lo spinnaker in particolare, lo hanno costruito per me, cucendo insieme centinaia di aquiloni.

– Tanto non li facevo mai volare... – mi dice Margherita.
C'è anche Caterina con loro, la maestra che cerca solo i sassi a forma di triangolo. È lí con il suo scialle di lana sulle spalle, i capelli grigi tirati indietro, i piedi anche un po' gonfi, mi pare. Fa finta di non vedermi, si vergogna perché, dice, non ha piú l'età ma vuole venire anche lei.
– Anche tu dove? – le chiedo.
– A fare la guerra...

Dalla strada comincia a vedersi un polverone: sta avvicinandosi a passo di marcia un altro manipolo di gente strana.
Gli scollatori di francobolli!
Li guardo bene. Hanno tutti in testa a mo' di elmetto un pentolino, ognuno il suo. Il pentolino in cui fanno bollire l'acqua per scollare i francobolli. Dicono che sono pronti a partire, a menar botte, se ce n'è bisogno. Dicono che con l'elmetto non temono niente e di considerarli a disposizione anche per il corpo a corpo.
Poi arriva un'altra banda. Centinaia di persone, tutte unite in un unico battaglione, gli allevatori di girini insieme agli avvitatori di lampadine. Hanno preparato un'arma speciale. Chiedono di essere ricevuti dal generale Raimond.
Alzo gli occhi al cielo. Ma cosa gli è preso a tutta questa gente?
Faccio di sí col capo, tanto ormai. Allora ognuno tira fuori dallo zaino una lampadina gigante, che spenzola da un filo elettrico. Me le agitano davanti al naso, quelle lampadine, e allora io vedo. Vedo che dentro saltella una rana.
Una rana!
Sta chiusa come in un barattolo della marmellata, e da là dentro strabuzza gli occhi, gonfia il gozzo, tenta di arrampicarsi sulle pareti sferiche e viscide del vetro, e gracida.
Tutte quelle rane verdi chiuse nelle lampadine gracidano.
– Si può sapere cosa avete in mente?
Uno di loro viene avanti, mi dice che ora mi darà una dimostrazione. Dice proprio dimostrazione. Sembra un

venditore di aspirapolveri. Si lega al polso il capo libero del filo elettrico, lancia per aria la lampadina che, perdendo il tappo nel lancio (il tappo si fa per dire… si chiama virola, puntualizza), lascia uscire la rana, la quale vola per un breve tratto e poi atterra e comincia a saltare a destra e a manca creando un parapiglia mai visto.

– Moltiplica per centoventi, – mi dice, – e immagina lo sconquasso che riusciranno a creare le nostre rane tra quei mocciosi!

Un'idea geniale, dicono. Gli allevatori hanno accelerato la crescita dei girini, e gli avvitatori hanno modificato la virola delle lampadine con una molla perché si apra al primo strattone.

– Siamo pronti? – chiedono.

No. Non siamo pronti un accidenti. La verità è che non so che fare. Mi ero immaginato di arrivare da Guglielmo e… boh. In realtà non mi ero immaginato niente.

Volevo solo andare da lui e mettermi al suo fianco. Magari dare un calcio a quei quattro bulletti. Ma questa parata, questo armamentario…

Ecco gli asini, laggiú, portano ognuno qualche oggetto legato sulla groppa alla bell'e meglio. Macinini da caffè, mangianastri, vecchie radio, zoccoli di legno marcito, manichini da sarto, occhiali senza una stanghetta, vecchi orsi di peluche smangiucchiati dai tarli, sci di legno, slitte, macchine da scrivere Olivetti, orologi appannati e libri su libri, dizionari, enciclopedie, manoscritti del Seicento, autografi dilavati e graffiati, poesie…

– Ma… tutte queste cose? – chiedo. Cerco di non mostrare sgomento.

– Han voluto venir con noi, dicono che possono servire…

Okay…

Ci sono anche gli scultori di siepi di bossi e i pelatori di mele, con i loro pelamele a elica.

E naturalmente la squadra dei giocolieri dei semafori al completo, armati di mazze, birilli, palle colorate e cerchi. Li vedo solo adesso, m'erano sfuggiti. Mi si parano davanti tutti insieme, saranno un centinaio, ognuno a debita distanza dall'altro, per aver spazio, e si mettono a farmi l'hula-hoop. Da non crederci! Ragazzi, uomini e donne che di colpo fanno vorticare quel loro cerchio intorno ai fianchi, dondolano ritmicamente il bacino e provocano un giramento collettivo circolare... Molto bello, molto bravi, uno spettacolo meraviglioso. Ma cos'è, crederanno mica di far paura con quella specie di danza del ventre?

Smettono, si compattano in uno squadrone sull'attenti. Uno di loro urla come un capitano: Ri-poso!, e tutti mettono un piede avanti e appoggiano il cerchio a una spalla, come fosse un fucile a tracolla.

– Scusi... – dico al capitano. È il mio modo di chiedergli cosa pensano di fare, con quei cosi.

Si avvicina, mi fa il saluto militare, poi mi dice: – Pensiamo di prendere al cerchio i nemici, uno per uno!

– Prenderli al cerchio?

– Sí, come al lazo! Ha presente? Solo che qui non siamo nel Far West.

Lo ringrazio. Mi tranquillizza che l'abbiano capito, che non cerchiamo di catturare mandrie di cavalli imbizzarriti. Mi sale un po' il nervoso. Io non sono quello che credono. E cosa credono, poi? Cosa vogliono? Una ragione per muoversi dal loro torpore, e credersi finalmente utili a qualcosa... Sí, tante grazie. Ma io? Cosa credono che me ne faccia, io, di loro?

Che dite, dovrei mandarli tutti via?

Va be', lo so, anche questa domanda cadrà nel vuoto. Cosa ve lo chiedo a fare.

Guardo la terra che ho davanti, fino all'orizzonte. Questa lunga infinita distesa di prati e collinette, alberi, cespugli, case. Questo paese cosí strano dove mi ha portato Reso e che manco pensavo esistesse...

Quanti saranno? Non mi ero accorto che in questo posto abitasse cosí tanta gente. Mi prende uno smarrimento.

Mi sento cosí piccolo, cosí vecchio. Cosí pieno di paura. Sono un cagasotto, io, possibile che non lo sappiano? Ci vorrebbe la mia Agata, lei glielo direbbe. Si metterebbe a ridere forte e squillante come il trillo di una fontanina, e glielo direbbe, a tutta questa gente, di lasciarmi perdere, che loro non lo sanno quanto mi cago sotto...

A quel punto, mentre sono con questi miei pensieri un po' intimi, sento un fruscio leggero sul terreno, accanto alla mia zampa destra, e un impercettibile solletico sul pelo, poco sopra lo zoccolo. Guardo, e la vedo. Lí, minuscola tra i fili d'erba, quasi non si distingue: è la ballerina di plastica, è uscita dal carillon.

– E tu cosa ci fai? Sta' attenta, ti calpesteranno...

– Sono venuta a combattere.

– Sei cosí piccina...

– No, se mi alzo sulle punte... Guarda!

La guardo, con quelle sue gambine esili e bianche, le braccia alzate ad arco, sí, sembra piuttosto alta, nel suo genere...

La prendo e la metto in groppa a Garibaldi, che mi sta accanto e mi fissa senza dire niente. Perché no? Tutto è possibile, ballerina!

Per ultimi arrivano i trapiantatori. Con le loro camicie di flanella, i rastrelli, i cappellacci di paglia.

Eh no, i trapiantatori di primule no! Cosa possono mai fare di utile, loro e le loro pianticelle travasate?

Mi viene da sbottare:

– Pazienza le rane, i pentolini, gli spinnaker... Ma le primule per favore no, come si fa? Questa è una spedizione militare!

Mentre dico spedizione militare, mi sento male. Come mi è uscita una sciocchezza simile? I trapiantatori abbassano lo sguardo, Ezio non dice niente, arrossisce. È gente suscettibile, lo so. Non vorrei averli offesi. Chi sono io, poi, per dire chi è utile e chi è inutile?

Ezio prende coraggio e mi dice che hanno avuto un'idea, e che se io sono d'accordo desidererebbero usare le loro primule, nella spedizione. Conclude con queste parole:

– Lasciaci provare, Raimond, ci mettiamo al fondo dell'esercito e non disturbiamo.

Esercito, esercito... La parola gira e rigira per aria. Nessuno ancora l'aveva pronunciata, nessuno forse l'aveva nemmeno pensata. Ma suona bene. Tutti hanno parlato di impresa, guerra, spedizione, nemico, marcia, armi... Ma ecco chi siamo noi, un esercito.

Adesso si può partire. È una sera con il cielo azzurro terso, ancora un po' ventosa. Si vedono i profili neri delle montagne, all'orizzonte. E dall'altra parte, il filo netto del mare che divide come sempre il mondo in due.

Ma le primule, a cosa possono mai servire?

Ed è con questa domanda nella testa che parto, guidando l'esercito delle cose inutili.

Capitolo 38

in cui Raimond e Reso sono di nuovo seduti sul ciglio,
tutto è già avvenuto,
e voi giustamente vi chiederete:
ma che cosa è avvenuto?

Adesso siamo seduti qua, io e Reso, sul ciglio della strada. Vi ricordate quando ci siamo conosciuti, quel mattino di novembre? Ecco, tali e quali seduti sul ciglio, io e lui. Sembriamo noi due, sei mesi fa. Stessa strada deserta, non una macchina, un passante, niente. Stessi alberi con i rami stortati solo da una parte, e un freddo gelido da frigorifero. Anche se è primavera, il freddo è uguale. O almeno, a me sembra. Sono tutto un brivido.

Pazzesco com'è passato il tempo.

Comunque a me piace un sacco, appena posso lo faccio, di sedermi sul ciglio. Ve l'ho già detto, mi piace perché c'è l'erba che comincia e l'asfalto che finisce. O viceversa. Insomma non si sa chi comincia e chi finisce, è una gara, secondo me: l'asfalto che vuole ricoprire l'erba, e l'erba che cerca di rompere l'asfalto per riprendersi il suo posto, e allora la vedi lí che invade, s'insinua. *L'erba che s'insinua...* Okay. Chissà chi vince. Mi sono fatto l'idea che alla fine vince l'erba. Perché secondo me il pianeta un giorno si vendicherà. Quando gli andrà, le rimetterà lui, le cose a posto; gli alberi, i prati, le foreste, a un certo punto faranno questa cosa incredibile di crescere all'infinito, e di mangiarsi le strade, le case, le città, e tutto tornerà com'era. Magari con i vecchi dinosauri che risaltellano con quelle loro zampe grasse e nerborute, e si divorano l'un l'altro mandandosi a brandelli per aria. Bello. L'ho visto nelle figure di un libro per bambini. Impressionante cosa disegnano, nei libri per bambini. Noi non ci saremo piú, d'accordo, ci vuol tempo perché il pianeta faccia tutta questa cosa di mettersi a ricominciare. Ma un bel giorno lo farà. Almeno, credo. Insomma, non lo so. Le dovrebbe studiare Guglielmo queste cose, non ha detto che da grande vuol risolvere il problema dell'origine del mondo? O dell'uomo, fa lo stesso.

Comunque siamo qui piantati, io e il libro.

E questa volta non è che mi piaccia cosí tanto, star seduto su questo benedetto ciglio. Puzza molto di finale, cioè che tutto è bell'e che finito.

Reso per esempio è lí che non fa uscire un be'. E io con lui che se ne sta di colpo cosí zitto, non so tanto che pesci pigliare. Stanchi siamo stanchi, niente da dire. Però strani, questi libri. Si chiudono in se stessi e chi li capisce è bravo. Io lo lascio in pace, ci mancherebbe, starà pensando a qualcosa di suo, qualcosa che vuol tenersi per sé.

Siamo qui seduti cosí paralleli che non ci guardiamo nemmeno in faccia. Lui se ne sta puntato avanti tutto scompaginato, col vento che gli apre le pagine, e non tira fuori una sillaba.

Gli altri se ne sono andati. Da un bel po'. Sono tornati a Variponti. Non tutti, qualcuno ho visto che prendeva un'altra strada, chissà.

E noi due qui. Ci stiamo riposando, mettiamola cosí. Due randagi con la schiena rotta. E forse questo siamo sempre stati: due randagi con la schiena rotta che cercano di riposarsi un po'. Seduti sul ciglio, come sempre. Okay. Si torna di continuo al principio delle cose.

Garibaldi se n'è andato per ultimo, portando con sé la ballerina. Dice che la vuole aiutare a ritrovare il cavatappi. Ma non so, io ho pensato: se la vuole tenere per sé, e portarsela in giro per il mondo.

Mi è dispiaciuto un po' vederlo andare via. Un po' tanto. Era il mio amico piú amico di tutti, non è giusto che se ne sia andato. Ma si può fermare un amico che se ne va con una ballerina? Dovevo dirgli: Guarda che è di plastica? Non lo vedeva da solo? Lo vedeva, lo vedeva. Se se n'è andato per ultimo, vuol dire che gli faceva tristezza lasciarmi così.

Gari, il vecchio Gari... L'abbiamo guidata noi due la spedizione. Se non c'era lui come facevo? Lui portava in groppa la ballerina, io il libro. A vederci da lontano dovevamo far ridere parecchio, con quei due cavalierini minuscoli aggrappati.

A vederci da lontano... A proposito, a un certo punto m'è presa voglia di vedere che effetto facevamo, visti tutti insieme. Allora ho fatto una frenata un po' improvvisa, scintille sull'asfalto e quelle cose lí, tanto che ho sentito tutti dietro che si fermavano anche loro perché se no mi venivano a sbattere contro. Mi sono voltato e ci ho visto. Cioè ho visto come eravamo: impressionante! Ho pensato: ma guarda la distesa di gente che m'è venuta appresso! Siccome però non vedevo ancora abbastanza bene, ho detto a Gari: Aspettami. Ho deviato per una collinetta, e lí, dall'alto, ho visto che razza di esercito eravamo per davvero. Tutti divisi in squadre, allineati per quadrati, rettangoli. Manipoli, si dice manipoli? Anche divisi per colori, per esempio lo squadrone dei principi azzurri spiccava per l'azzurro, e i trapiantatori di primule per il giallo, e via dicendo.

Via dicendo, se non c'era Gari, io non ce la facevo certo. M'era venuta una paura, peggio che stare su una zampa sola sopra un parapetto con sotto il baratro. Peggio.

Sí, è vero che la spedizione l'ho guidata io.

Ma insieme a Gari. Io e lui.

E poi guidare una spedizione è una cosa, fare la guerra un'altra. E io di fare la guerra avevo una paura maledetta. Perché io sono un cagasotto per davvero, mica in senso metaforico. Mi viene la pancia in subbuglio, e me ne scapperei in un angolo a fare i miei bisogni. Ecco, l'ho detto. Non so perché sono così. Mia madre diceva che ogni figlio viene a modo suo. Io sono a modo mio. Mio fratello

Piter, non me lo ricordo che si cagasse sotto, lui. Era un tipo tranquillo, faceva le sue cose, lavorava sodo, dormiva il giusto, non era uno che stava a chiedersi: Cosa penseranno di me adesso? Come posso migliorare?, o cose di questo tipo. No, lui viveva. Tranquillo. A me invece non è mai riuscito di vivere e basta, io sempre lí a chiedermi il perché e il percome, e se andava bene o no. Anche adesso. Son qui sul ciglio, che sembrerei tranquillo, dico se qualcuno mi guardasse. Invece sono tre ore che mi chiedo se ho fatto bene, ho fatto male, e come è andata veramente…

Va be', adesso che è finita, adesso che ho tutto questo tempo, vi racconto com'è andata. E se ascoltate bene, se no pazienza, fate come vi pare.

Siamo partiti ieri sera, appena si è fatto buio. Guglielmo direbbe: Per essere precisi… Okay, per essere precisi saranno state le sei di sera.

A proposito: l'ho poi conosciuto, Guglielmo.

Non è stato facile. Ci saranno state un migliaio di persone davanti alla scuola, vai a scovarlo. Io me l'ero immaginato, questo sí, tante volte, ma chi poteva saperlo che faccia aveva? Nella testa mi ero disegnato un ragazzino pallido, un po' colore della luna. E cose generiche, che ne so?, un po' grassoccio, un po' con i capelli gialli, una maglietta a righe… La maglietta a righe non so perché.

La cosa grave è che adesso che ci siamo conosciuti, mi sembra tutto irreale. Cioè, il contrario: mi sembra troppo reale. Cosí reale che è già passato.

Quindi mi capita questa cosa strana che mi dispiace, mi dispiace di averlo conosciuto, ecco, non so se mi capite. Mi piacerebbe che dovesse ancora succedere, di conoscerlo, e tutto il resto… Dico solo questo, che se un certo giorno ci succede qualcosa di bello, be', quel giorno dovremmo viverlo tante volte e non una sola.

Con certi pensieri, piú sono strani piú m'ingarbuglio. Ve lo dico in un altro modo: il giorno che ho sposato Agata, be', vorrei viverlo tutti i giorni. Cosí non passerebbe.

Invece c'è questa regola che siccome una cosa è già successa non può risuccedere. Avrebbe molto piú senso come dico io. Metti che uno vive trent'anni, che per un asino è tantissimo... Be', 30 per 365 quanto fa, diecimila? Ecco, non diecimila giorni ma diecimila volte lo stesso giorno, questo dico. Non è che voglio vivere di piú, trent'anni vanno benone, è solo che mi dispiace che certi giorni passino, tutto lí.

Capitolo 39

in cui Raimond continua a non raccontare com'è andata, non lo fa apposta, è cosí

Lo so che non vi ho ancora raccontato niente, adesso ci arrivo.

Comunque volevo dirvi che mi è piaciuto tantissimo fare questa spedizione. Cioè, tutto quel correre al galoppo nella notte, tutta quella gente dietro... Anche essere il loro generale, mi è piaciuto.

Ma piú di tutto andare a vendicare qualcuno, quello mi è andato a genio, perché sapete qual è la cosa che piú mi manda in bestia, a me, nella vita? Che uno magari non ha fatto niente di male e gli danno addosso tutti, e lui è lí in un angolo che non dice niente, perché cosa vuoi mai che dica? È questo che mi fa piú andare in bestia. Per questo sono andato in quella scuola. Alle otto meno un quarto. Per vendicarlo, Guglielmo. Molto semplicemente, fine della storia.

Non che io sia un vendicatore. Uno che si mette a vendicare gli altri a destra e a manca. Ma mi ha preso, andare a vendicare Guglielmo: mi è venuta una rabbia che come si fa a non andare a massacrare un po' di gente intorno? Massacrare si fa per dire...

Fatte le dovute proporzioni, era capitata anche a me una cosa uguale, adesso che ci penso. Una cosa ingiusta, ecco. Stavamo andando in montagna, tutti noi della famiglia. I miei dovevano portare non so piú che tronchi. Guai se si fermavano o facevano anche solo un raglio, gli poteva cadere giú tutto e poi erano botte. Allora mio padre ci aveva radunati prima e ci aveva detto, a noi piccoli: Mi raccomando, fate la salita dietro a noi e non vi allontanate per nessun motivo, ve lo dico chiaro adesso perché poi non vi potrò piú parlare, e se vi perdete vi perdete, perché io e la mamma non vi potremo venire a cercare, okay? Okay. Andiamo su, dietro a loro, stiamo attenti. Era una salita davvero difficile, con le pietre che ci rotolavano addosso, e i baratri, e il caldo.

A un certo punto ho visto un ramo. Ma non l'ho capito che era un ramo, mi pareva un animale strano. Faceva capolino a una curva, era lí piantato proprio all'angolo e, siccome c'era vento e si muoveva un po' sulla punta, sembrava un animale carino che mi salutava. Allora m'è venuta voglia di andare a vedere meglio se era una grossa lucertola, o una donnola, un cucciolo di lepre, non si capiva. Ero curioso. M'era venuta l'idea di prenderlo, quell'animale, e regalarlo alla mia mamma, che era sempre affaticata e triste, e le piacevano gli animalini, quando ne incontrava uno ci giocava sempre. Volevo farle allegria...

Insomma, per prendere quell'animalino mi sono allontanato e poi non ho trovato piú nessuno, aveva ragione mio padre. Ho fatto il resto della salita da solo, e quando li ho raggiunti mio padre non ha detto niente ma si vedeva che era nero.

Piú tardi siamo tornati a casa e lui mi ha lasciato fuori. Ha spinto un masso sull'entrata della stalla, e cosí ho capito che mi puniva. Avrei voluto spiegarglielo che era stato per la mamma, per prenderle un regalo, ma non mi uscivano parole.

Ho dormito fuori tutta la notte, quella volta. Sentivo l'umido nel pelo, e ogni minimo rumore mi faceva paura. Mi ricordo che ho passato ore a dirmi che non era giusto, che io non ero stato cattivo.

Pregavo che qualcuno arrivasse lí da me. Qualcuno di molto grosso e forte, che venisse a togliermi quel masso, che mi facesse entrare nella stalla insieme agli altri, al caldo. Che mi dicesse non è niente, tutto passa. Come mi diceva Claire, quella volta che mi si era ammalata la pancia.

Ecco perché m'è piaciuto andare da Guglielmo. M'è piaciuto andargli a dire che non è niente, che tutto passa. Basta dar tempo al tempo. E questa è una bella frase, che mi piace proprio tanto. E non la diceva mia mamma. Non la diceva nessuno, cioè, la dicono tutti, e la dico io adesso.

Capitolo 40

in cui Raimond finalmente racconta cosa ha fatto (o meglio, cosa non ha fatto) davanti alla scuola di Guglielmo

Okay, adesso arrivo al punto. Se vi interessa. Tanto per chiudere la storia. Non mi piace lasciar le storie aperte, ve l'ho detto. Un po' come quando ti portano via il secchio con la biada e tu ne avresti mangiata ancora. Rimani lí, con i denti per aria.

Com'è andata... Dunque, vediamo, è andata bene, sí, direi di sí... L'indirizzo intanto era giusto, l'orario perfetto, anzi, eravamo in anticipo. E c'era una pioggerellina, niente di fastidioso però. Una pioggerellina fitta che velava solo un po' le cose.

Io non avevo mai visto una scuola in vita mia, ma a un certo punto ho capito di essere arrivato perché Reso mi ha tirato per la criniera e s'è messo anche un po' a sbraitare. Allora mi sono fermato.

Ci siamo bloccati all'istante, io e tutto l'esercito dietro. Eravamo su uno spiazzo in alto, poi partiva una specie di scarpata, e sotto c'erano le strade, le case, e questa cosa lunga e piatta e grigia che era la scuola di Guglielmo. Piú che un cubo un... come si chiamano quei cubi che però sono lunghi in orizzontale? Insomma, avete capito. Stavamo lí a guardare dall'alto come se ci fosse apparsa la Madonna e invece ci era apparsa questa scuola bruttissima, e io sentivo l'esercito dietro di me che premeva. Non dicevano niente, non spingevano, ma io sentivo che premevano: aspettavano un ordine, e lo aspettavano da me, da chi altri? Ero io il generale.

Garibaldi mi guardava storto. Non diceva niente nemmeno lui, ma io sentivo il trambusto dei suoi pensieri: e allora, tutta quella vanteria da duro, si può sapere dove ti è finita? Io lo sentivo che Garibaldi macinava questi pensieri.

Ma a me era preso un indebolimento secco, davanti a quel cubo orizzontale grigio. Soprattutto alle ginocchia, una specie di peso che me le faceva piegare. E che ne so? Mai andato a vendicare nessuno.

Ero lí impalato. Ma qualcosa me la dovevo pur inventare. Anzi, una cosa la dovevo proprio fare a tutti i costi, perché se l'aspettavano, da me. Si aspettavano che dessi l'ordine d'inizio, appunto. Allora l'ho dato. Ho alzato il muso al cielo e con quanto piú fiato avevo ho ragliato:

– All'attacco!

Come nei film. Sí, come nei film che mi fermavo certe volte a guardare nel Paese delle cose inutili, la sera, nel cinema all'aperto, insieme ai pensionati, e ai manager che avevano perso il lavoro e si consolavano con i film di guerra, piú erano violenti piú erano contenti. Faceva solo un po' freddo, perché il cinema all'aperto, si sa, va bene d'estate.

Insomma, ho urlato «All'attacco» e sono partito in picchiata. Giú per la scarpata a rotta di collo. (In *Huckleberry Finn* c'è un punto in cui dice: «a rotta di collo»). Era il segnale che tutti aspettavano, si son buttati dietro di me felici, a valanga. Davvero, sembravamo peggio della neve quando gonfia e viene giú a valle. Anche questo l'ho visto in un film, che mi ha fatto proprio un po' paura.

E fortuna che c'era la scarpata. Un attacco in salita, ci pensate? Come si fa ad assaltare qualcosa in salita?

Tutto l'esercito a cavallo, a piedi, di corsa, sui carretti, i camioncini, le carriole, i trattori, le biciclette, le barche sulle ruote, il frigo dei gelati... Tutto s'è mosso dietro di me a valanga, giú per quella scarpata.

Abbiamo sollevato una gran polvere, non si vedeva piú niente. Eravamo dentro una nuvola, nascosti, inarrestabili. Nel senso che, avendo fatto tutto d'un fiato quella discesa ed essendo cosí tanti, non riuscivamo proprio a fermarci. Volevo dare un ordine che suonasse al contrario di «All'attacco», ma qual era? Non mi veniva in mente. Ho lasciato che le cose andassero come dovevano andare. Ho lasciato che la valanga avanzasse. Ed è avanzata. Poi, bene o male, si è fermata. Per forza, davanti alla scuola c'era una recinzione alta due metri, che girava tutto intorno. Qualcosa la ferma sempre la tua valanga, mi son detto. E infatti, c'era quella benedetta inferriata che a momenti ci sbattevamo tutti il muso contro.

Ecco com'è andata, volendovi fare una specie di riassunto: siamo arrivati e ci siamo fermati.

C'erano già i ragazzi, nel cortile, e anche un mucchio di persone adulte. C'era un bel po' di gente, insomma, lí davanti. E ho visto che avevano tutti paura, ma anche meraviglia. Una paura meravigliata. Noi eravamo ancora dentro quella nostra polvere, protetti, invisibili. È stato un momento bellissimo, loro che non vedevano noi e noi che vedevamo loro. Me lo ricorderò per sempre.

Anche se proprio in quell'istante ho dimenticato completamente perché ero lí, cosa diavolo ero venuto a fare. Mi stupiva molto questa cosa che tutti gridassero cosí tanto aiuto. Aiuto cosa? Avrei voluto dirgli: Ma vi sta dando di volta il cervello, non vedete che siamo buoni? Ma ho pensato che non c'era niente da fare: quando sei un esercito la gente non lo sa, se sei buono o cattivo. Se invece arrivi con le mani in tasca, fischiettando, be', è diverso. Ma noi non fischiettavamo per niente.

Per fortuna il cancello era aperto. Però nessuno di noi entrava. Il generale non dava il comando. Cioè, io non davo il comando. Non lo davo perché non sapevo cosa fare.

Ma a un certo punto mi sento premere da dietro: era l'esercito che per conto suo aveva deciso di entrare, o non lo so, forse non aveva deciso proprio un bel niente ma entrava lo stesso, ed era tutto uno spingimento colossale, e nessuno riusciva piú a stare dove stava, venivamo tutti trascinati, come da un fiume che straripa. E questa cosa del fiume io l'ho sentita davvero molto forte, sapete? A me è parso sempre, tutto il tempo ch'è durata questa impresa, di essere non il generale che guida un esercito, ma un tronco in mezzo a un fiume vorticoso.

Insomma, siamo entrati a imbuto nel cancello aperto, e ci siamo allargati nel cortile, sulle scale, nell'atrio, dappertutto. Facevamo anche un rumore pazzesco: passi, ragli, tamburi, pentolini... A un certo punto ho visto gente che correva, qualcuno chiamava perfino l'ambulanza, la polizia, o chissà cosa... E il bello è che non stava succedendo proprio niente, a parte il casino di essere entrati tutti insieme a quel modo.

E cosa poteva mai succedere d'altro, se non avevamo deciso cosa fare? Qualcuno aveva stabilito uno straccio di strategia bellica, un piano? No.

Una cosa ce l'avevo chiara: dovevo trovare Dennis Cartozza e farlo secco. Ma dov'era? Come lo pescavo? Orecchie piccole, testa rapata quadra, felpa col teschio. Okay, ma era una parola... E se non lo trovavo? Si può andare in guerra e non trovare neanche il nemico?

Eravamo lí, tutti schierati in ordine, compatti. E c'era anche quel gran silenzio, nessuno che faceva o diceva piú niente. Noi da una parte, e i ragazzi della scuola, le mamme o non so chi, dall'altra. Due eserciti. Che si guardavano prima della battaglia.

Ma a me m'era presa un'indolenza... Forse m'era venuto anche un po' di sonno, tutta la notte sveglio a galoppare... Mi sognavo la casupola, la biada fresca, e Frido che arriva con la posta.

Mi era venuto anche un pensiero dell'isola. Capite? Quando proprio non è il caso ti s'infilano i ricordi, l'infanzia, e tutte quelle tue cose del passato. Una bella grana. Era un pensiero di quand'ero giovanissimo e facevo il muratore. Cioè, insomma, lavoravo nell'edilizia. Mi piaceva fermarmi a guardare i muratori veri che facevano la malta di calce. Avete mai visto fare la malta? È bellissimo. Prendono certe bacinelle di plastica, di solito rosse col manico di metallo, non so perché rosse ma cosí si vede bene la polvere bianca che ci mettono dentro. Versano dell'acqua, poi prendono una specie di paletta corta e cominciano a mestare. Viene tutta una poltiglia densa, ed è lí che mi sarebbe piaciuto proprio tanto essere un uomo, cioè stare dritto su due gambe, e avere anche le mani per poter mescolare quel pasticcio bianco. Ma non è finita, poi viene il bello. Prendono una specie di tavoletta con il manico, una spatola, ci sbattono su una palettata di calce e poi, tac, la riversano con un gesto esatto sopra il muro. E la calce resta appiccicata lí e allora i muratori veri la spalmano per bene, la stendono sul muro, la piallano. E poi di nuovo, caricano altra calce sulla spatola, la gettano, la stendono. Quando nella bacinella non c'è piú niente e hanno ben raschiato, rifanno da capo la malta: calce, acqua, rimestano, impastano.

Cosa c'entrava questo pensiero della malta con il fatto che eravamo tutti lí schierati pronti a far battaglia, non lo so. Mi sentivo cosí confuso che a un certo punto ho anche pensato di tornare indietro. Ma sí dài, chiedevo scusa a tutti e me ne tornavo a casa e tanti saluti.

Capitolo 41

La guerra
(o La festa? Non so, non si capisce niente, vedete voi)

A quel punto invece è successa una cosa che mi ha tolto un po' la confusione. Reso s'è messo a strepitare:

– L'ho trovato, l'ho trovato!

Il mio amico libro...! In tutto quel frastuono m'ero dimenticato di lui. Se n'era stato buono buono in groppa, non aveva aperto bocca durante tutto il viaggio e adesso invece era lí che si agitava come un matto:

– Ehi, Raimond... l'ho trovato, l'ho trovato!

– Hai trovato chi?

– Dennis Cartozza! Guarda un po' qua...

E mi mostra quell'accidenti del suo iPad. Mi dice che lui ha una app pazzesca che trova le persone, e io non so neanche di cosa stia parlando. Allora mi spiega, mi ripete che c'è questa app pazzesca che se tu inserisci i segni particolari di una persona, lei ti manda dritto su di lei.

– Orecchie piccole e felpa con il teschio, è bastato. Ecco dov'è Dennis! Vedi? Segui la mappa e lo stani!

Garibaldi ci guardava accigliato:

– Tutte balle, – ha detto. – Non c'è bisogno.

– Di cosa non c'è bisogno, Gari?

– Di quel coso. Cartozza si fa stanare da solo, non c'è bisogno.

Aveva ragione Gari. Tempo due minuti, sentiamo uno tra la folla dei ragazzi che si mette a ridere, si spancia letteralmente in mezzo agli altri, e si spancia a tal punto che saltella sul posto, come in una specie di danza indiana:

– Uh uh... È arrivato l'asino di Ulligulli! E bravo Ulligulli, bell'asino! Uh uh...

Lo guardiamo.

Felpa nera con tanto di teschio, testa rapa e quadra. Le orecchie non siam proprio riusciti a vedergliele, quindi le aveva piccole. Dennis Cartozza in persona. E accanto Mingherlo e gli altri. Sicuro che erano gli altri tre, quelli. Mingherlo per esempio l'avremmo riconosciuto in capo al mondo, mingherlino e dinoccolato com'era. Si poteva anche chiamare Dinoccolo anziché Mingherlo, ma di certo era lui.

La Banda del Cesso al completo.

Garibaldi non diceva piú niente. Mi guardava con la faccia scura e i muscoli tirati di quando sta per saltare in aria. Adesso basta, mi diceva con gli occhi, bisogna agire. Infatti ha agito.

– Gari, dove vai?

Troppo tardi. Era partito a scheggia, allora l'ho seguito. Va bene, mi son detto, è giunto il fatidico momento, andiamo a compiere questa missione e non se ne parli piú.

Procediamo a passo cadenzato verso la banda, uniti. Inesorabili. (*Inesorabili* è una parola strana, non so bene cosa vuol dire ma mi viene tutte le volte che sono davanti a un casino e non ci posso fare proprio niente). Comunque procediamo. Collo eretto, narici dilatate, pelo irto, orecchie in resta. Siamo i Draghi Sputafuoco, io e Garibaldi, i due della Vendetta Spieta (che starebbe per spietata, ma spieta funziona di piú).

Facciamo paura, io e Gari. Una paura fottuta.

Infatti i quattro della Banda del Cesso smettono di ridacchiare. Arretrano. Hanno capito e se la fanno sotto. Oppure non hanno capito un accidenti ma se la fanno sotto lo stesso.

Siamo una bomba. Una bomba ambulante che si ferma a due metri da loro, digrigna i denti, sbuffa un fiato caldo. Siamo tori infuriati. No, siamo vulcani che eruttano lava incandescente, siamo mostri spaventosi. Siamo tutto l'universo del Male pressato in due asini. Che poi, cioè, siamo noi, appunto.

I quattro ragazzotti adesso si sono messi a correre, e noi dietro come furie. Gli siamo quasi addosso, e sento Garibaldi che urla: Banda del Cesso dei miei stivali! Venite qui se avete fegato! Ve la metto io la testa dentro il water! Mai sentito Garibaldi dire una sfilza simile di parole tutte insieme... E giú a rincorrerli col fiato caldo che gli ribolle, e io dietro a dargli manforte.

Che poi, dovevo essere io il vendicatore, no? Ma pace, non importa chi fa le cose. Chi le fa le fa, basta che vengano fatte.

Intorno a noi tutti allibiti che ci guardano. Nessuno ci capisce niente, e come potrebbe? Nessuno sa niente di niente, la storia del cesso e tutto quanto. Io vorrei urlarlo a tutti, raccontarlo per filo e per segno chi sono quelli, cosa hanno fatto a Guglielmo. Vorrei parlare con parole che si capiscano, perché non mi sta bene per niente che tutta quella gente non sappia cosa sta succedendo e se ne stia lí sbacalita come davanti a un film di guerra stupido. Noi non siamo un film di guerra stupido. Siamo i Vendicatori. Stiamo per sferrare un attacco micidiale. Stiamo per farlo, quando...

Be', ho sentito un gran fracasso, poi mi è arrivato addosso l'esercito al completo... L'esercito, sí, dico il nostro esercito, di colpo era impazzito, s'era buttato dietro di noi urlando e strepitando, tutti i battaglioni uno dopo l'altro in fila, compatti. Non so cos'avessero capito, forse che io e Garibaldi che correvamo eravamo l'inizio della guerra, non lo so, sta di fatto che veniva giú l'inferno.

Allora mi è preso il panico. Cioè, ho avuto paura di essere travolto dalle mie stesse truppe. Ho fatto ancora in tempo a vedere questa scena pazzesca di Garibaldi che inseguiva Dennis Cartozza, lo tallonava con il muso, e santa salamandra cosa ho visto! Garibaldi che spingeva quel ragazzo per il sedere, a colpi di muso, sí, e lo portava sotto la grondaia. E lí s'è messo a ragliare e spingere verso l'alto finché non è riuscito ad alzarlo, e lo ha fatto salire su per quella grondaia e intanto gli diceva urlando: Monta su questa pertica! Cos'hai, la calamita nel culo?

E io pensavo: ma guarda un po', certe frasi sono boomerang, ritornano. Poi non so cos'è successo, non ho piú visto niente fino alla fine perché era tutta una gran polvere. Cioè, in quella specie di nebbia, ho visto ancora i quattro che correvano verso il boschetto, agli estremi del cortile. E poi Gari che tornava vittorioso, con quel mezzo sorriso tipo gangster, avete presente? E aveva in bocca un pezzo dei pantaloni di Cartozza, non ci potevo credere! Avrei voluto chiedergli se sognavo o cosa, ma non era il momento. Ho fatto appena in tempo a togliermi di mezzo, a far passare quella fiumana impazzita.

Mi sono messo di lato, e sono stato a guardare quel che succedeva. La battaglia, e tutto il resto.

Sbalorditivo... Vi dico solo questo: sbalorditivo! Un attimo prima eravamo tutti lí fermi e muti in un silenzio perfetto, e di colpo il finimondo.

Hanno cominciato gli scalatori di montagne. S'erano portati tutto l'armamentario, picconi, corde, ramponi, moschettoni. Io pensavo: sono matti, cosa fanno? Poi ho capito: si erano accordati con i costruttori di aquiloni, loro salivano su per le pareti della scuola, e gli altri, con un meccanismo complicatissimo di carrucole, gli mandavano su i loro aquiloni. E aveste visto che aquiloni! Mostri con i denti digrignati, streghe, diavoli, serpenti con la lingua biforcuta, arpie, grossi uccellacci con gli occhi spiritati...

Be', gli scalatori li prendevano e li buttavano giú in picchiata sulla folla. Ma che picchiata volete mai che fosse? Cosí leggeri, fatti di quella carta cosí volante... Volavano. Cosa volete mai che facessero, quei poveri aquiloni? Volteggiavano eleganti sopra il cortile della scuola che era una meraviglia. E infatti, tutti col naso per aria a fare tanti *oh* e *ah* di meraviglia, e tutti che cercavano di acchiapparne il piú possibile, di quei bellissimi aquiloni che volavano giú dal cielo, per portarseli a casa e appenderli al muro, credo.

Intanto gli scollatori di francobolli con i loro pentolini in testa si aggiravano incollando i loro francobolli sopra le fronti, le mani, i vestiti di chi incontravano. Come dire: Adesso vi affranchiamo noi, e vi spediamo tipo pacchi postali. Ma come si poteva capire? Non si capiva, e infatti tutti facevano a gara a chi beccava piú francobolli.

I principi azzurri distribuivano baci. Non gli pareva vero di avere tante fanciulle da baciare, belle e brutte, grasse e magre, lí che si davano spintoni per arrivare prima delle altre, allungare le guance, chiudere gli occhi e tutto quanto. Certe, le ho viste con le mie pupille, facevano le furbe e si rimettevano in fila come niente fosse, per avere un secondo bacio. Tanto quei principi azzurri, beati com'erano, baciavano a ripetizione senza guardare neanche chi baciavano o non baciavano.

I tagliatori di melone impugnavano fieri gli snocciolatori di ciliegie e procedevano spediti a passo marziale. Io non capivo dove stessero andando, e a fare cosa. Si son fermati davanti alla folla di ragazzini e mamme, a mo' di plotone di esecuzione, uno di loro ha fatto la conta: Uno, due, tre, via! Le macchinette hanno sputato come mitraglie migliaia di noccioli di ciliegia, che ricadevano come grandine e formavano a terra tutto un tappeto di pallini scuri. Si scivolava, ma era anche divertente: infatti la gente ha preso a pattinarci sopra.

Intanto guardavo i guardatori della luna. Li guardavo con una certa apprensione, mi potete ben capire... Se ne stavano lí allineati e composti. Sono cosí contemplativi, pensavo, cosa possono mai fare in una guerra? Tanto piú che, di luna, neanche l'ombra. Ero molto preoccupato per loro, quand'ecco che li vedo muoversi a raggiera, e comporre cerchi concentrici e mettersi a girare lentamente, un cerchio in un senso e l'altro in quello inverso, formando una specie di onda circolare, una centrifuga a spirale, un vortice... Ecco, un vortice. Come una tromba d'aria ma in orizzontale. Non so cosa s'erano messi in testa, forse mimavano un moto planetario, che ne so. O speravano d'intrappolare nemici nelle loro spire. Comunque era bellissimo, guardarli. Quasi come guardare la luna.

I cantori, i pittori e i letterati erano rimasti in alto, su quella specie di rocca prima della scarpata. Non si erano mescolati agli altri. Soprattutto il manipolo dei poeti: era venuto al completo e ora se ne stava lí, compatto, immobile. Avulso, come sempre. Tutta gente che non aveva neanche pensato per un attimo di seguirci giú in picchiata, all'attacco.

Al Paese delle cose inutili se ne stavano molto per conto loro, avevano un prato piccolino, con un boschetto, due panche, qualche tavolo di legno, leggii, cavalletti, lampade da comodino. Quando passavo di lí li vedevo assorti. Erano quelli che si sentivano piú a loro agio. In un certo senso erano abituati a essere inutili, si trovavano bene cosí.

Ma allora cos'erano venuti a fare con noi? Si stagliavano su quel crinale, seduti su certi loro sgabellini pieghevoli. Suonavano e cantavano, disegnavano, dipingevano, ecco cos'erano venuti a fare: quel che facevano abitualmente nella vita. Mi sono detto che forse volevano raccontare le gesta epiche del nostro esercito. Bene, ero contento: nessuno di noi sarebbe eroe se non ci fosse qualcuno che lo guarda, e lo racconta.

C'era anche una vecchia insegnante in pensione, lassú in alto. S'era portata un grosso tamburo, se l'era legato in spalla e ora era lí che ci batteva su furiosamente. Sembrava una cantante rock, con i fumogeni e le luci psichedeliche e tutto quanto. Non so cosa le era preso, ma mi sembrava felice.

Era tutto un parapiglia tale, un trambusto, una scorreria... Tutta questa roba che mi precipitava addosso, che vedevo volare e ricadere, piovere da ogni parte tirata non so da chi. Arrivava un po' dal cielo e un po' da chissà dove, sparata dai cannoni, forse, anche se io non ne avevo visto nemmeno uno, o da mitraglie e catapulte. Ma il risultato era lo stesso, da non poterci credere. Rane, pallini, bocce, foulard, birilli, libri, spazzole, vecchie radio che si mettevano a suonare, quadri a olio, cornici vuote che venivano lanciate come bastoncini ai cani, e che nessun cane riportava indietro… E bandiere che volavano, ancore arrugginite gettate nel vuoto, vecchi scafandri cigolanti che si mettevano di colpo a camminare, dentro cui, ho scoperto poi, c'erano i navigatori solitari.

La gente della scuola intanto s'era unita a noi. Trombette, pizze e salatini… Stava diventando una vera festa, altro che una guerra!

Solo i trapiantatori di primule non si vedevano da nessuna parte. Va be', ho pensato, saranno tornati indietro. Lo sapevo che non c'entravano niente.

Capitolo 42
Guglielmo

E lí, proprio nel bel mezzo della festa, mi volto e vedo un ragazzetto.

È nello stesso angolino del cortile dove mi sono rintanato io. Forse anche lui è rimasto nascosto tutto quel tempo, a guardare. Ma io, distratto dalla guerra, non l'ho visto.

Si avvicina, mi prende per il pelo e mi bisbiglia:

– Raimond…?

Ripete piano il mio nome, come fosse una specie di domanda.

Lo guardo.

È un ragazzetto piccolo, con la faccia tonda, i capelli biondi corti e un ciuffo enorme che gli spiove sul viso.

Faccio due passi avanti e chino il muso. È il mio modo di rispondergli: Sí, Guglielmo, sono io.

Siamo vicinissimi, lo annuso. Ha un odore buono, sa di pini marittimi. Vorrei leccargli la mano, ma sarebbe troppo. Gli asini hanno la lingua un po' rasposa…

Allunga il braccio e mi accarezza. Ha la mano cosí piccola. Lo credo che sulla pertica non sale, come fa? Mi abbasso. Mi piego sulle zampe anteriori e chino il collo fin quasi a terra, spero che capisca. Capisce, si avvicina, mi prende per le orecchie, poi si corregge e afferra le redini. Cerca di montarmi in groppa, non ce la fa. È davvero un po' pesante. Garibaldi lo spinge con il muso. Io mi rialzo piano, e parto.

Parto con Guglielmo in sella, facciamo un piccolo giro al trotto per il cortile. Sento che siamo molto eleganti, lui ed io.

Lenti ma sicuri. Il cielo è venuto tutto sereno, c'è una bella luce chiara che ci abbaglia un po', e non sembra neanche vera.

Niente sembra vero.

Ci fermiamo. Adesso siamo al centro del cortile. Facciamo un inchino a tutti, non so perché: ci viene. Io sto eretto, abbasso solo leggermente la testa, e Guglielmo si porta la mano tesa sulla fronte e poi distende il braccio, netto: un saluto, come un soldato a una folla.

A quel punto parte un applauso, smisurato. All'inizio è fievole, poi monta, diventa fragoroso, riempie tutta l'aria.

Non so perché si sono messi ad applaudirci, ma capisco che ci fanno festa. È la scuola intera, ragazzi, genitori, insegnanti, tutti lí ad applaudire e festeggiare il nostro esercito: asini, aquiloni, navigatori, scalatori, francobolli, macinini, auto usate, poeti, camioncini della frutta, carriole di latta, vecchi orologi a pendolo, maniscalchi...

Non me ne accorgo, ma mi viene un enorme, gigantesco raglio. Alzo il muso verso il cielo e mi parte questo raglio potentissimo. Non so, non ho trovato un altro modo per dire quanto ero felice.

Facciamo ancora un giro del cortile, Guglielmo ed io. Poi mi chino, e lui scende. Lo guardo correre verso gli altri, tutti gli si affollano intorno, lo abbracciano, lo portano in trionfo: Viva Guglielmo Strossi! Viva Strossi!

Mi pare di vedere, lí in quel gruppo, anche una ragazzina esile dalle braccia diafane... Lo spero. Spero che sia Martina.

Dennis Cartozza e i suoi amici stanno fermi in mezzo al cortile, soli. Completamente inermi. Potrei colpirli. Adesso, io, da solo, potrei sferrare l'attacco. Mi viene una forza che mi parte dagli zoccoli e sale fino al cervello. Non mi sento piú vecchio, mi sento vivo. Mi spariscono di colpo tutti gli anni, i pesi, i mali, i dirupi... Mi sparisce tutto.

E invece poi alla fine non ho fatto niente. È che di colpo mi è sembrato tutto cosí inutile... Non ce n'era piú bisogno, lo capite, no?

Guardavo quel Cartozzone cosí grosso, cosí quadrato, con quella felpa cosí nera, cosí triste... e con quel buco sul culo... Perché Garibaldi gliel'aveva dato davvero un morso sulla chiappa. Be', insomma, mi è sembrato un ragazzo piccolissimo. Che senso aveva andargli addosso, sputare fuoco dalle narici e incendiarlo?

L'ho guardato ancora un po', da lontano, lui e gli altri tre della banda. In quel cortile, separati da tutti. La scuola intera in festa, Guglielmo portato in trionfo, e loro lí. Poi li ho visti allontanarsi, lenti, le mani in tasca. Davano calci a qualche pietra o non so cosa che si trovavano tra i piedi, fischiettavano qualche canzonetta. Gironzolavano a vuoto, cosí, per conto loro. Mi sono sembrati cani randagi.

E allora ho pensato che la missione era compiuta. Non sapevo bene quale missione, ma insomma, ce ne potevamo anche andare.

Non subito, però. Sono rimasto con Guglielmo tutto il giorno.

Lui ha telefonato ai suoi di non venirlo a prendere, che c'ero io, a scuola, e non tornava neanche per merenda, e chissà quando tornava. Ho sentito un pezzo della sua telefonata, cioè, piú che altro ho sentito le sue risposte:

No, non importa mamma se non vieni, sta' pure dove sei.

No, non vado in giro, sto qui a scuola tutto il giorno.

Sí, a scuola... No, non c'è lezione. C'è Raimond.

Sí, è arrivato qui a scuola. Come?

Sí, proprio Raimond in persona.

Raimond l'asino, conosci un altro Raimond?

No, mamma, è venuto lui da me.

No che non l'avevo chiamato, è venuto lui.

Come perché? Perché è il mio asino, no?

Ma scusa, non me l'avete regalato voi a Natale?

Tutto cosí. Avrei voluto parlare io con sua madre, dirle se per piacere la mollava con quella sfilza di domande. 'Sti genitori! Prima regalano un asino al figlio, che già è una cosa da pazzi, poi si stupiscono se l'asino e il figlio passano un pomeriggio insieme. Ma cosa glielo regalano a fare? Cosa credono, che un asino adottato a distanza stia a distanza? Che se ne rimanga tranquillo e buono a fare il randagio come prima? Io, per esempio, ve lo sognate che andrò mai piú randagio nella vita, manco morto, dovessero cadermi le orecchie in questo istante!

Siamo andati in giro tutto il giorno, io e Guglielmo. Lui mi portava a spasso tenendomi per le redini, mi raccontava un sacco di cose. Un po' le sapevo già, un po' no. Per esempio mi ha comunicato la novità, che Martina gli aveva appena chiesto se un giorno andavano in piscina insieme, e lui non sapeva cosa dire e lo chiedeva a me, se secondo me la doveva fare o no, la pace con Martina. Secondo me no, ma non gli ho detto niente, perché lui aveva una gran voglia di pensarla diversamente: Sai Raimond, mi ha detto, magari le è scappata, questa cosa che scrivevo a un asino, solo cosí, perché la faceva ridere...

Mi è piaciuto un sacco andare in giro con Guglielmo.

Mi ha fatto sentire tantissimo il suo asino. Quando qualcuno si avvicinava a farmi una carezza, prima chiedeva il permesso a lui. L'avevano capito tutti che ero suo. E lui abbassava gli occhi, lo vedevo che non si vantava per niente, faceva finta che è normale portare a spasso il proprio asino.

Mi piace un ragazzino timido che abbassa gli occhi. Io lo capisco perché faccio uguale. Se abbassi gli occhi ti sembra che la gente non ti guardi, e tu stai meglio, non hai questa barba infinita di essere guardato.

Poi è arrivata la sera.

Lo sapevo che sarebbe arrivata. Cioè, ovvio che lo sapevo, volevo dire lo sapevo che finiva, il pomeriggio con Guglielmo e tutto. I nodi vengono sempre al pettine, diceva la mia mamma.

E il nodo era venuto al pettine. Aveva aspettato che facesse sera, e purtroppo era venuto.

Capitolo 43

in cui vi viene svelato il mistero dei trapiantatori di primule, e non solo

Guglielmo vuole portarmi a casa, questo è il nodo.

Vuole tenermi a vivere con sé.

Mi dice che il posto me lo trova, che adesso che mi ha incontrato non mi lascia andare mai piú, che vivremo sempre insieme come fratelli, e tutto il resto. Non mi vedo tanto come fratello, ma fa lo stesso.

Comunque non è questo. È che siamo messi male. Cioè, mi sono ficcato in un bel guaio... Adesso come faccio? Mica posso vivere a casa sua e fare l'asino domestico, mangiare in cucina con i genitori, Tonia che stira, sua figlia Dayana...

Però anche tornare nel Paese delle cose inutili... Sedersi sulla panchina, guardare quelli che giocano a bocce, che scalano montagne, tagliano meloni, allevano girini, quelli che guardano il mare da lontano... quelli che passeggiano col cane, senza cane, contano foglie che cadono, stelle che brillano, pecore al pascolo, e gli scoiattoli quante noci si sgranocchiano, e la luna quanto è cresciuta... Non lo so. Anche star sempre lí a guardare tutta questa luna, tutta questa gente, leggere tutti questi libri...

Ma stare per sempre con Guglielmo, invece? Diventare un asino di compagnia, aspettarlo fuori da scuola, portarlo a casa in groppa? A parte il fatto che non ci scriveremmo piú...

Ma se non torno a Variponti e non abito da Guglielmo... cosa faccio adesso?

Sono confuso. Disorientato... È la parola giusta. L'ho trovata in un dizionario etimologico, uno dei tomi che mi passava Reso. Sono diventato uno che non sa piú dov'è l'oriente, l'ha perso... L'oriente è la nascita del sole, è il tempo che rinasce ogni mattina... Disorientato è uno che non trova il tempo... Il tempo! Ma io, quanto tempo ho ancora? Cosa posso fare nel tempo che mi resta?

Garibaldi intanto s'è piantato sul cancello e mi fa il muso. Non ha dato corda a nessun ragazzino, non ha fatto festa. Se n'è stato per conto suo. E adesso è lí che aspetta, si chiederà cosa abbiamo piú da fare in questo posto.

Mi fa venire in mente certi uomini grossi con la barba nera folta e i baffi, che parlano sempre con la voce fonda che viene su da un pozzo, e fanno paura solo a vederli. C'era uno cosí sull'isola, guidava i camion del cemento. Si chiamava Buda.

Invece Garibaldi ha guidato me. E adesso è lí immobile. Mi sembra anche un po' spazientito. La ballerina gli si è addormentata addosso, dentro la criniera, la vedo appena.

Tanto lo so che stanno per andarsene. Garibaldi aspetta che lei si svegli, poi le chiederà se vuole andare un po' a vedere il mondo con lui. L'ho capito che andrà cosí. Garibaldi pensa che la vita ha un debito con lui e adesso se lo va a riscuotere. E io, cosa posso dirgli? Che son contento. Che vada pure, è il suo momento.

Mi piacerebbe solo chiedergli cosa devo fare io adesso. Ma non glielo do, un peso simile. Decido io.

Tanto, ho già deciso.

Giriamo ancora un po' sul retro, Guglielmo e io, ora che s'è fatta sera. Ma siamo stanchi, svogliati. Lo sappiamo tutti e due che il tempo sta finendo.

Ed è proprio lí, sul retro della scuola, in certi angoli appartati, che li vedo, i trapiantatori di primule. Ecco dov'erano finiti!

Stanno piantando le loro primule nei pochi pezzi di terreno dove il cemento lascia il posto al prato, qualche striscia, poca roba, solo brandelli d'erba mai falciata, lo spiazzo per mettere i cassonetti, o lo stretto cerchio di terra intorno ai lampioni. Guardo in alto e ne vedo altri lassú, sul balcone del secondo piano, dove affaccia l'ufficio della preside e dove c'è tutta una fila di vasi di terracotta, vuoti, neanche un germoglio. Un balcone piú brullo della Garulla, per dire...

– Ma cosa fate?

– Trapiantiamo primule.

– Ma perché?

– Perché qua non ci sono primule, neanche una!

E allora mi rendo conto. Non hanno visto niente. Non hanno saputo niente. Sono stati solo cosí gentili da seguirci, da far parte della nostra spedizione, tutto lí. Avranno pensato: ci si mette tutti insieme in cammino, si arriva davanti a una scuola, si piantano due primule e si torna a casa.

Infatti, adesso che sta venendo buio, li vedo che si preparano per tornare. Sereni e tranquilli, ripongono i loro arnesi nella sacca, la paletta, il terriccio avanzato, le sementi, i vasetti di plastica ormai vuoti che impilano uno dentro l'altro perché possono ancora servire. Si mettono in spalla le sacche, gli zaini, su quelle loro camicie a quadri grossi, di lana spessa, e s'incamminano, con i loro scarponi pesanti, i pantaloni di velluto, le calze elastiche tirate su...

Sono i primi a tornare, i trapiantatori di primule. Non si sono accorti di niente, ma la giornata è finita, quel che han trapiantato han trapiantato, e quindi adesso tornano a casa. Non si fanno nessuna domanda, tornano e basta.

Domani la preside si affaccerà e, vedendo tutti questi fiori, penserà: ma come? ma quando sono nati? Oppure non penserà proprio niente, perché le presidi hanno tutta una scuola da mandare avanti, e quindi magari li guarderà distrattamente dai vetri, cosí, tra un lavoro noioso e l'altro, oppure non li vedrà neanche.

E i ragazzi? Mah... all'uscita le vedranno, non le vedranno, queste primule? Non se lo chiedono. Ora quelle primule ci sono. Prima non c'erano e adesso ci sono. Qualcosa avranno ben da fare, anche loro, su questa terra. Qualcosa che nessuno sa cos'è, d'accordo. Ma importa?

Capitolo 44

in cui Raimond scrive una lettera
(si fa per dire)
a Guglielmo

Senti Guglielmo, ci siamo visti poco, tu ed io. Soltanto una giornata, che vuoi che sia? Ma io una cosa l'ho capita. Una cosa che ti devo dire perché secondo me ti può servire.

E allora te la dico: tu ti senti uno schermidore solo a sprazzi. Sbagliato! Tu devi sentirti sempre uno che combatte, anche se in quel momento non te la sei portata, la spada.

Cioè tu sei uno spadaccino anche se stai andando al supermercato con Tonia, o sei davanti al mare con Martina. O chiuso nel gabinetto delle femmine con la banda che ti tormenta. Stai semplicemente facendo questo stupido errore di pensare che combatti solo quando vai a fare l'ora di scherma. Sbagliato! Sbagliatissimo, Guglielmo, sbagliatissimissimo! Ho capito questo. E quindi volevo dirtelo.

Ma siccome non so scrivere perché Reso mi ha insegnato solo a leggere, te la dico a voce, questa cosa. Mando le parole nell'aria, poi vediamo. È piena di pensieri, l'aria, qualcosa arriverà.

Non posso stare con te, Guglielmo.

Lo so che lo vorresti. Anch'io... Ma non posso, non ho tutto questo tempo.

Tu intanto fa' una cosa, per piacere: parla con Martina, dille com'è andata con la banda, il cesso e tutto quanto, vedrai che ti capisce. E poi portala in piscina, ma sí. E dopo magari andate a guardarvi il tramonto da qualche parte. Ma non andare quando è troppo tardi. Non deve essere dopo il tramonto, dev'essere prima, anche solo un momento, ma *prima*, hai capito? Perché la luce è tutto. Quell'attimo in cui la luce se ne va, capito? Me l'hai insegnato tu, che bisogna acchiappare l'attimo giusto, no?

E poi senti, ho ancora una cosa da dirti, anzi due. Te le dico per aria anche queste. Non per niente sono un asino a distanza, ah ah... Non ti ha fatto ridere, lo so.

Neanche a me.

Io ho letto *I tre moschettieri*, a me piace soprattutto D'Artagnan.

D'Artagnan è come don Chisciotte, ma a diciott'anni. Io invece facciamo che sono D'Artagnan, ma a sessant'anni. Per questo sono arrivato qui a sfidare i tuoi nemici, quel Dennis Cartozza accidenti a lui, carciofo lesso senza orecchie.

Cioè, non è proprio che *sono* D'Artagnan. Mi sento lui, m'immedesimo, quando lo leggo. Lo so che uno come me dovrebbe al massimo immedesimarsi nel cavallo, di un moschettiere, non nel moschettiere. E invece no, io m'immedesimo nel moschettiere. Ognuno diventa chi gli pare, quando legge un libro, okay?

Okay.

Vorrei anche essere tuo nonno. E questa è la seconda cosa che volevo dirti. Cioè, intendiamoci, non è che vorrei che tu come nonno avessi un asino, non sono cosí scemo. Io vorrei essere un uomo, per essere tuo nonno. Avere sembianze umane...

Sembianze umane... ti piace? L'ho letto in un libro di vampiri. Io comunque mi sento molto umano, non lo dico a nessuno ma a te sí.

Come nonno, accidenti, vedresti che nonno sarei! Ti leggerei un sacco di libri, per esempio la sera prima di dormire, e ti porterei sempre io a scherma, non la Tonia in pullman, o tua madre in auto con quella fretta bestia. Ci andremmo piano, a scherma, magari al trotto. E il tempo ci passerebbe in un baleno.

Sai che a volte non so come passare il tempo? Va bene

che lui passa lo stesso, anche se non lo faccio passare io. Però... Però certo, a volte non so proprio cosa fare, non posso mica girarmi i pollici. Lo diceva sempre mia madre: Raimond, non startene lí a girarti i pollici, fa' qualcosa, aiutami a portare questa catasta. (A dirla tutta, adesso, non so come le veniva questa cosa dei pollici, a mia madre... Ma lasciamo perdere).

Ah, le cataste, Guglielmo! Non sai quanto mi mancano, le cataste... Sono ben diverse da pietroni, massi, mattoni o calcinacci. Le cataste sono piú mobili, piú... ballerine! Le cataste di legna, quei pezzi di tronco con rami medi e ramoscelli esili e stortignaccoli. Anche questa è una parola di mia madre: *stortignaccolo*.

Sai, a proposito, questa storia delle parole... Ho capito una cosa, in questi mesi. Ho capito che una madre è *fatta* di parole, quelle che usava, quelle che ti ha detto nella vita. E quando lei va via, perché una madre a un certo punto va via, be', ti restano le sue parole, quelle che ti diceva sempre e che sono solo sue, e tu le riconosceresti anche su un altro pianeta, tanto sono sue e di nessun altro. E allora è bellissimo, perché vuol dire che una madre non se ne va mai del tutto, un po' rimane sempre con te. Non è bellissimo?

Comunque, *stortignaccolo* lo diceva a mio fratello Piter, se proprio lo vuoi sapere, non a me. Glielo diceva perché da piccolo gli piaceva fare lo scivolo sulle scarpate e aveva l'abitudine di sedersi sulle zampe di dietro, diceva che ci stava comodo seduto sulle sue zampe. Cosí le aveva consumate, erano diventate troppo magre e alla fine si erano stortate, e questa era la spiegazione che dava mia madre, poi non so come stavano davvero le cose. Cioè le zampe di mio fratello.

Ma, tornando alle cataste, il bello è proprio questo fatto che sono ballerine. E tu te lo senti, che hai sulla groppa qualcosa che non sta mai fermo. È la corda. Tutta colpa della corda. Come lo tieni insieme un mazzo di rami e tronchi? Con la corda. E cos'è il bello? Che quell'ammasso di legna legata insieme a un certo punto smolla. Eh sí, può anche smollarsi, a un certo punto. E se si smolla, magari proprio quando fai la discesa, te lo vedi lo spettacolo? Tutta la legna che se ne rotola a catafascio giú per la montagna, e i ciocchi che saltellano di roccia in roccia, e il tuo padrone che si mette a urlare, e corre giú come una lepre grassa, e cerca di acchiappare almeno un legnetto e invece niente, figurati se ne prende uno.

Una volta ho visto una scena che mi ha ricordato le cataste. È stato tra gli umani, con i fogli e il vento. Un signore che scriveva, seduto sul molo, con i piedi a bagno in acqua, ha posato i fogli accanto a sé, lí per terra. Chissà cosa scriveva, cosa pensava... Forse pensava che era meglio se non si teneva i fogli in mano, non lo so. Di colpo viene il vento. Sai come viene il vento, di colpo, che prima non c'era e poi di botto c'è. E tutti i fogli gli vanno nell'acqua, a quel signore, e in cima al molo, e in spiaggia. Lui corre disperato, vuole acchiapparli tutti, ma non riesce. Non ne riacchiappa piú neanche uno. Allora, me lo ricordo, si ferma. Lí, in piedi sul molo. Il vento gli raffica i capelli, gli gonfia la camicia, e i pantaloni tutti indietro che sembra diventato una bandiera. Una bandiera a quadri, perché i pantaloni ce li aveva a quadri. Sta lí in piedi controvento, e diventa un uomo cosí immobile, e impotente... Un uomo senza i fogli, senza poter piú scrivere i pensieri. Se ne sta lí inerme, e forse gli sembra che gli siano volati via anche i pensieri, insieme ai fogli, chissà.

Be', la catasta è uguale, quando la corda smolla. Solo che i tronchi rotolano, non volano. Ma se ne vanno via allo stesso modo, e allora a te ti prende un male, una nostalgia, che ne so, di quand'eri piccolo, e poi è andato tutto via, i tronchi, i fogli, i giorni, i pensieri... tutto via. Ti viene anche da pensare che è stato inutile... Ma non è un buon pensiero, non va bene. Forse per questo mi piacerebbe essere tuo nonno: per dirti che se ti vola via qualcosa va bene, dobbiamo pur lasciare andare.

Lasciami andare. Non puoi tenermi. Non l'hai tenuto il granchio che ti piaceva, ti ricordi cosa mi hai detto? Che l'hai rimesso sullo scoglio, e che quando l'hai visto con quel suo andare sghembo sulla roccia umida di mare ti sei sentito bene. Rimettimi sullo scoglio, Gulliver, me ne devo andare. Tutti ce ne dobbiamo andare...

Comunque, Gulliver è un nome bellissimo. Ma non dirlo mai all'inglese, per piacere: devi dire Gulliver con la *u*, non con la *a*, chiaro?

Anche a me piace questo tal Gulliver dei *Viaggi di Gulliver*. L'ho letto, e mi piace un sacco, proprio come a tua madre. Diglielo. È forte, tua madre, non te la far scappare...

Tornando al granchio: quando sparisce in acqua, non sai dove se ne va lontano, in quali abissi. Noi uguale, facci caso. A un certo punto bisogna pur che andiamo, a buttare un occhio nell'abisso.

Hai presente D'Artagnan padre cosa dice a suo figlio? No, non hai presente perché non l'hai letto, *I tre moschettieri*. Accidenti, leggilo, è pazzesco. Il padre dice al figlio, senti qua: «Con il coraggio, non dimenticate, con il coraggio soltanto un gentiluomo oggi si fa strada». Le senti, che parole? Ascolta come continua: «Chiunque trema un attimo, lascia forse sfuggire l'esca che, proprio in quell'attimo, la fortuna gli tendeva». La fortuna, hai capito? Non tremare, Guglielmo, sii coraggioso. Se non tremi, la prendi al volo, l'esca. «Siete giovane, dovete essere coraggioso per due motivi: primo, perché siete guascone, secondo, perché siete mio figlio».

Hai capito?

Tu non sei guascone, e non sei mio figlio.

Ma io sono il tuo asino.

Capitolo 45

È il finale del libro, quindi non vi dico niente

– Aprimi...

Subito subito non capisco chi parla, da dove viene questa vocetta bassa, cosí cupa, cosí seria. Sono ancora lí che mi scrivo per aria questa specie di lettera a Guglielmo. Lí, sul ciglio della strada. Poi lo vedo: è Reso. Mi sta seduto accanto da non so quanto tempo.

– Adesso lo puoi fare.

Cosí mi dice, e io non ci capisco davvero un accidenti.

– Posso fare cosa? – gli chiedo con un tono che sembro cretino.

E intanto mi metto a osservarlo meglio. È ancora tutto sulle sue, ingrugnito. Non mi sembra arrabbiato con me, è concentrato. Come se un pensiero marziano lo abitasse e lui non sapesse come farlo sloggiare.

Ha richiuso le sue pagine e s'è messo piatto in terra. Sdraiato. Un po' come uno che ha deciso che è venuto il momento e lui non può piú farci niente, e se ne sta disteso come a dire: Va be', fate di me quel che volete.

Il momento è arrivato, questo lo capisco anch'io. Ma quale momento? Non ne ho idea.

– Posso fare cosa? – gli richiedo.

– Leggermi... Adesso puoi.

Mi dice cosí. Ha una voce ferma, troppo bassa. È serissimo. È uno che deve fare una certa cosa a tutti i costi, e la sta facendo.

E a me di colpo è come se alla fine di una salita mi si spalancasse la bocca di un vulcano in eruzione. Mi vengono i brividi. Non ci avevo piú pensato, giuro che non mi era mai piú venuto in mente, quel suo divieto strano. Il giorno che mi aveva detto: Puoi leggere tutti i libri tranne me.

– Mi stai dicendo che adesso davvero mi fai leggere... la storia che ti porti scritta dentro le pagine?

Sta muto. Ci mette un tempo eterno, come avesse un nodo che non lo fa parlare:

– La sai già... – mi dice.

La so già? Cosa so già? Lo sollevo da terra. Me lo tengo un po' tra le zampe, piano. Non l'avevo mai fatto. Con delicatezza, come se avessi paura di romperlo. L'avevo provata solo con un nido, una sensazione simile, una volta che ero ancora molto giovane. C'erano dentro delle uova, non sapevo di chi. Ho avuto paura e sono scappato via. Paura di quattro uova in croce, ma si può?

Guardo la copertina, è pazzesco ma non l'avevo mai guardata, non so perché. Non riesco bene a spiegarvi, vedete, per me quel libro non era un libro. Cioè sí, certo che era un libro. Ma era un amico. Prima di tutto era un amico. Poi, che fosse anche un libro, sí, d'accordo. Ma cosa ce ne importa, di che forma ha un amico?

La copertina mi piace. È porosa, colorata, con una strana figura al centro, che non riesco bene a riconoscere... Metto a fuoco il titolo: *L'esercito delle cose inutili.*

Cosí.

– Non lo sapevi? – mi chiede.

Tentenno. Barcollo.

– Non lo sapevi che tutto è già scritto...?

Passa del tempo.

Forse solo un minuto o due, ma a me sembra un tempo enorme e mi pare anche di vederlo passare. Come fosse l'ombra di una nuvola, un uccello, un cavallo che ti trotta a fianco, non lo so.

Allora prendo il libro. E leggo. Leggo la storia della mia vita. Non proprio dalla prima pagina. Leggo un po' come mi viene, dove la pagina si apre.

Le pagine... Hanno un odore buono di carta, e fanno un rumore tenero, di foglie secche. Sfoglio, leggo soltanto una riga qua una là.

Mi basta poco. Forse, l'avevo sospettato. Forse, non volevo saperlo fino in fondo...

Ci siamo noi due all'inizio, su questa strada deserta, io randagio con le ginocchia che mi fanno male e lui che mi porta via con sé. C'è l'albero con i rami stortati solo da una parte. C'è Garibaldi che scappa dal macello, io che faccio il muratore da giovane, i miei figli. Ci sono tutti gli abitanti del Paese delle cose inutili, la ballerina e il cavatappi, i giocolieri, i naviganti, i trapiantatori, tutti. Ci sono io che non riesco a diventare felice e Reso che mi sprona, e la gente che piange nel prato del pianto, ci sono tutte le mie notti insonni, la mia paura di morire. C'è l'esercito che parte per quella guerra che poi tutti hanno scambiato per una festa, e quindi cos'è stata? Una festa. Ci sono io che me la prendo, quando vi ho chiesto di dirmi cosa fare e voi invece niente, zitti come tombe.

Eh certo! Eravamo dentro un libro. Io parlavo parlavo, ma voi come facevate? Chi legge non può rispondere.

E adesso?

Leggo. Comincio dalla prima pagina e vado per ordine, stavolta. Arriva la notte, il buio fondo. Ma io continuo a leggere. Mi sposto sotto un lampione della strada e leggo fino al mattino.

Arrivo quasi alla fine, poi, di colpo, smetto. C'è una luce rosata, fredda. Un vapore denso che ha ricoperto l'erba, la terra, e nella notte è diventato ghiaccio.

Chiudo il mio amico libro. Lo guardo.

– Era già tutto scritto... – dico.

– Te l'ho detto.

Abbasso gli occhi. Sento il vento addosso. Mi lascio andare, c'è questa luce cosí fredda. È una mattina gelida di primavera.

– Devi andare all'ultima pagina... – mi dice il libro. Sempre con questa sua voce bassa e ferma, serissima.

Mi sta montando un fastidio, una ribellione che non capisco da dove mi arriva.

Ce ne stiamo ancora lí seduti, come al solito, vicini, sul ciglio della strada polverosa. Anche i ciuffi d'erba sono polverosi. È sempre cosí, il ciglio: si prende tutta quella polvere, la trattiene. Lo fa per regalarci un segno, il segno che ci siamo mossi, che la nostra vita è vera, che non è stato tutto un nulla il nostro passare.

Per questo è bello sedersi sul ciglio di una strada, ora l'ho capito meglio: perché tocchiamo il segno che esistiamo, che siamo stati vivi, almeno per un po'.

Non la voglio aprire, l'ultima pagina.

Adesso mi è proprio chiaro, che non voglio.

Guardo verso il sole, tra poco si poggerà un attimo sul profilo delle colline e poi se ne andrà su in alto, che per vederlo dovrai voltare mezzo collo in su. Fa il suo giro, fa quel che deve, il sole. Poi lascerà che il buio faccia nascere la notte.

La notte... Quanta luce ha dentro una notte?

Quante notti ancora vorrei vedere?

Tante. Mi rispondo piano dentro di me: tante. Mi vergogno un po' di un desiderio cosí assurdo, alla mia età. Arriva un punto in cui... Arriva *il* punto, lo so bene. È arrivato per la mia mamma, per il mio papà, per la mia Agata cosí ribelle e spensierata, cosí subito perduta... E invece, adesso, chissà cosa è stato. Un frullo, un vento, il rumore di una ghianda che cade. Qualcosa ha rotto in me *quel punto*, lo ha disintegrato. Ho visto davanti a me, come in un pezzetto di specchio frantumato, che era solo un pezzetto, appunto, e che se ne poteva raccogliere un altro, e poi ancora un altro. Ho visto che si poteva fare diverso, dare un colpo, una virata. Forse, si poteva avere un'aggiunta. Bastava solo incollare i pezzi...

E allora m'è presa una gran voglia d'invecchiare. Di diventare proprio tanto vecchio. Un asino vecchissimo che non si regge in piedi, curvo e zoppo, e che magari non ci vede piú neanche tanto bene...

Mi tiro su. Mi do una scrollata alla criniera, sgranchisco un po' le zampe. Sí, le ginocchia mi fanno sempre male, ma non importa. Scalpiccio con lo zoccolo la polvere sullo sterrato, come per farmi spazio davanti, che neanche un sassolino m'ingombri la strada, e dico al libro:

– Non la leggo l'ultima pagina!

Sbuffo dalle narici un fiato leggero, e mi viene da aggiungere:

– Puoi anche tenertela, la tua ultima pagina!

Lui sta ancora lí, fermo immobile. Come se non gli avessi detto niente. Guarda avanti, o dentro di sé, non so.

Anch'io non faccio un passo. Non ci riesco, ad andarmene.

Insomma, nessuno dei due si muove. Nessuno dei due ha quel coraggio, di allontanarsi per primo.

– Be', allora ciao... – ci provo.

Ma non me ne vado, sto lí piantato.

– Ciao... – mi dice Reso, ma non se ne va neanche lui.

– Immagino che anche questo nostro «ciao» sia scritto... – gli dico un po' acido.

– Immagino di sí... – risponde guardandosi tra le pagine.

Un po' mi piacerebbe andare a vedere cosa c'è scritto in fondo, cosa diavolo ne sarà di noi. Mi piacerebbe da morire andare a leggere questa benedetta ultima pagina, mi capite, no? Faccio anche due passi di avvicinamento, ho una tentazione grossa come una casa.

Invece poi arretro, di scatto. Giro i tacchi, lo mollo lí sul ciglio:

– Be', allora ciao... – ripeto.

– Ciao...

E comincio ad allontanarmi, piano. Dài che ce la stai facendo!, mi dico per rincuorarmi, per darmi un po' di spinta.

Ma poi non so, avrò fatto venti metri non di piú, e mi

volto. Sí, mi volto. Faccio questa cosa di voltarmi. Reso è sempre lí. E allora mi prende un'allegria che mi sembra d'essere un po' come impazzito.

– Dài, salta in groppa! – gli dico. – Abbiamo ancora un sacco di cose da fare!

Un sacco di cose da fare... Cosí gli dico. Avrei voluto dire *avventure*, avrei voluto dire: Molte avventure ancora ci aspettano, mio valido amico! Dài, andiamo, segui il tuo generale! Ma mi sembrava troppo.

Reso mi guarda. Mi pare impreparato, stupefatto, tanto che mi dico: Raimond, finalmente l'hai sorpreso, ce l'hai fatta!

A quel punto fa quella sua aria scettica che mette su ogni tanto, ma si vede che è felice:

– E cosa sarebbero tutte queste cose da fare?

Eh no, nessuna anticipazione. Me le tengo tutte per me, le sorprese. Per prima cosa voglio andare a cercare Claire. Poi voglio andare al macello a liberare tutti gli asini, e al macero a liberare tutti i libri.

E questa cosa meno che mai gliela dico, perché deve essere una specie di regalo che mi va di fargli, io asino a lui libro. Una gita al macero, diciamo. Prima o poi. Prendiamo una giornata giusta, magari con il sole a palla, e andiamo. Gli dico solo:

– Fidati!

Basta cosí.

E a quel punto dev'essersi fidato, perché si alza, chiude su di sé l'ultima pagina e con un balzo mi monta in groppa. Via, partiamo.

E questo finale, sapete una cosa?, questo finale è tutto mio. Non credo proprio che nel libro fosse scritto.

Postilla.

Esiste un posto, vicino a Biella, a 70 chilometri e 700 metri da Torino, per essere precisi. Si chiama Rifugio degli Asinelli. Ci arrivano asini da tutta Europa, randagi, malati, vecchi, abbandonati, e lí trovano casa. Se ci andate potete vederli passeggiare per i prati, accarezzarli, fotografarli e, volendo, adottarne uno. È un posto bellissimo. Reso direbbe: È il posto adatto.

P. M.

Stampato per conto della Casa editrice Einaudi
presso ELCOGRAF S.p.A. - Stabilimento di Cles (Tn)
nel mese di febbraio 2015

C.L. 22392

Ristampa							Anno			
0	1	2	3	4	5	6	2015	2016	2017	2018